Giulia de Savorgnani   Cinzia Cordera A...

Chiaro!

corso di italiano

B1

Libro dello studente
ed eserciziario

'ALMA.tv

la prima WEB TV dedicata
alla lingua e alla cultura italiana

Per approfondire il percorso di apprendimento proposto
in *Chiaro!* vai su ALMA.tv e guarda un video in italiano,
partecipa ai concorsi, commenta e condividi con i tuoi amici
le cose che ti piacciono di più.
Segui i suggerimenti dati nel libro e scopri tanti video,
film, esercizi, test, giochi per esercitarti
e scoprire la cultura italiana!

WWW.ALMA.tv

Chiaro! B1, Corso di italiano

Autrici: Giulia de Savorgnani (lezioni e grammatica), Cinzia Cordera Alberti (eserciziario e unità di ripasso)

Consulenti: Anna Barbierato, Rita Cagiano, Laura Isnenghi, Anna Mandelli, Danila Piotti, Tiziana Raimondo

Le autrici desiderano ringraziare gli amici e colleghi che hanno contribuito mediante la revisione e la
sperimentazione in classe delle attività.

Direzione del progetto: Anna Colella
Consulenza scientifica: Ciro Massimo Naddeo, Euridice Orlandino
Redazione: Anna Colella, Gabriella Caiazza, Manfred Zimmer, Carlo Guastalla, Chiara Sandri
Progetto copertina: Lucia Cesarone, Sergio Segoloni
Illustrazioni interne: Virginia Azañedo
Progetto grafico: Büro Sieveking
Impaginazione: Andrea Caponecchia

Stampa: Lito Terrazzi s.r.l. - Cascine del Riccio (FI)

Printed in Italy
ISBN 978-88-6182-237-5

Alma Edizioni
Viale dei Cadorna, 44
50129 Firenze
Tel. +39 055476644
Fax +39 055473531
alma@almaedizioni.it
www.almaedizioni.it

Introduzione

Chiaro! è un corso di italiano in tre volumi completo di eserciziario e indirizzato a studenti adulti. Grazie a una struttura agile e a obiettivi didattici di immediata comprensione, *Chiaro!* si prefigura come un corso efficace e accessibile, anche per chi non ha mai studiato una lingua straniera.

Scopo del corso è consentire agli studenti di gestire in italiano le principali situazioni comunicative quotidiane ed esercitare in modo mirato e graduale le quattro competenze previste dal Quadro Comune Europeo di riferimento per le lingue (ascoltare, parlare, leggere e scrivere).

Un'attenzione particolare è rivolta alla comunicazione orale e all'interazione in classe. Testi autentici e registrazioni vivaci ed interessanti forniscono agli studenti numerose occasioni di confronto orale in coppia o in gruppo in situazioni comunicative riscontrabili nella vita reale.

Le raccomandazioni del Quadro Comune Europeo trovano in *Chiaro! B1*, terzo volume della serie, una concretizzazione coerente, in particolare in merito ai seguenti punti:

- **l'apprendente autonomo:** gli studenti possono stabilire in modo autonomo il proprio percorso di apprendimento e inquadrare gli elementi sui quali soffermarsi grazie alle indicazioni presenti nelle attività. Nel portfolio, la sezione *Cosa sai fare?* consente di autovalutare i propri progressi, mentre la rubrica *Come impari?/Come comunichi?* invita a riflettere sulle proprie modalità di apprendimento linguistico e di gestione delle situazioni comunicative;

- **lo studente ricercatore:** gli studenti vengono invitati ad elaborare le regole morfosintattiche, fissandole così nella propria memoria con maggiore efficacia. La pagina intitolata *Culture a confronto* li esorta invece a individuare differenze e analogie tra la loro cultura e quella italiana;

- **lo studente che "sa fare":** grazie a *project work*, attività varie ed autentiche di comprensione e produzione orale ed esercizi interattivi, gli studenti acquisiscono competenze linguistiche e comunicano fin dall'inizio con i compagni di corso. Al termine di ogni sezione dell'eserciziario è presente una rubrica intitolata *Dossier*, grazie alla quale è possibile esercitarsi tramite produzioni scritte su temi già affrontati oralmente, documentando così in modo cronologico i propri progressi.

Chiaro! B1 contiene 10 lezioni, 10 schede interculturali (*Culture a confronto*), 10 pagine di portfolio, 3 unità di ripasso (*Ancora più chiaro*), 3 test di autovalutazione, 10 capitoli di esercizi, 10 pagine di revisione dei contenuti affrontati in *Chiaro! A2*, fonetica e dossier e una grammatica sistematica.

Il CD ROM presenta gli ascolti (con le relative trascrizioni) e le soluzioni dell'eserciziario, il glossario alfabetico e le pagine di portfolio in formato PDF. Il CD audio comprende invece gli ascolti indicati nel libro dello studente.

La terza di copertina pieghevole presenta una pratica tabella con la coniugazione dei principali verbi presentati nei tre volumi del corso.

Buon lavoro,

le autrici e l'editore

Vai sul sito web di ALMA Edizioni e scopri l'area web dedicata a Chiaro! potrai accedere gratuitamente a test, esercizi interattivi, glossari, attività extra, giochi e molto altro ancora.

www.almaedizioni.it/chiaro

Indice

3 Mosaici familiari

Situazione comunicativa
la famiglia ieri e oggi

Obiettivi
parlare della famiglia; descrivere e paragonare situazioni/atteggiamenti; identificare un'opinione espressa da altri; esprimere la propria opinione su un problema

Competenze pragmatiche
il racconto di una vita

Competenze linguistiche
LESSICO: rapporti familiari; connettivi avversativi: *mentre*
GRAMMATICA: *si* indefinito + sostantivo/aggettivo; *mentre* + imperfetto; il congiuntivo presente (forme e uso con *penso*, *credo*, *trovo*)
FONETICA: le frasi conclusive e continuative

Culture a confronto
Vita di famiglia e riti di passaggio

Come comunichi?
Chiarimenti

4 Il mondo in rete

Situazione comunicativa
reti sociali reali e virtuali (amicizia; comunicazione e social network)

Obiettivi
fare una supposizione; descrivere il carattere di una persona; esprimere un'opinione/impressione; esprimere una volontà; esprimere accordo/disaccordo/incredulità; discutere su diversi modi di comunicare; elencare aspetti positivi e negativi

Competenze pragmatiche
formulare le regole d'oro dell'amicizia; ideare una campagna pro o contro i social network

Competenze linguistiche
LESSICO: carattere/personalità; rapporti interpersonali; Internet/ reti sociali
GRAMMATICA: il futuro semplice con valore modale; il congiuntivo presente con *sembrare/parere* e *volere*; *quello che*; la particella *ci* con il verbo *credere*; il gerundio con funzione temporale
FONETICA: esprimere incredulità

Culture a confronto
Lo dico o non lo dico?

Come comunichi?
L'arte della conversazione

5 Obiettivo benessere

Situazione comunicativa
benessere, sport

Obiettivi
parlare di attività che favoriscono il benessere; esprimere incertezza; informarsi su servizi offerti; descrivere uno sport

Competenze pragmatiche
chiedere informazioni e prenotare trattamenti in una spa; regalare a un amico un weekend benessere o un trattamento in una spa; inventare una nuova disciplina sportiva; progettare un "hotel benessere"

Competenze linguistiche
LESSICO: wellness e cura del corpo, attività fisiche e sportive
GRAMMATICA: il condizionale per esprimere incertezza (per esempio *non saprei..*); i pronomi combinati; *mentre* (funzione temporale)/ *durante*
FONETICA: i pronomi combinati

Culture a confronto
Bar sport

Come comunichi?
Gestire una situazione comunicativa nuova

9   Piccolo grande schermo

Situazione comunicativa
tv e intrattenimento individuale;
televisione e società

Obiettivi
parlare di fatti storici; parlare della
televisione; parlare di abitudini;
confrontare comportamenti;
esprimere e motivare preferenze;
fare ipotesi

Competenze pragmatiche
inventare un nuovo formato
televisivo

Competenze linguistiche
Lessico: "formati" televisivi
(documentario, telefilm, ecc.)
Grammatica: il gerundio con
funzione modale; il periodo
ipotetico della possibilità (se +
congiuntivo imperfetto +
condizionale presente)
Fonetica: le interiezioni (ah,
boh, mah…)

Culture a confronto
Per ridere un po'

Come impari?
Imparare l'italiano con la tv

10   Parla chiaro!

Situazione comunicativa
gli italiani e l'italiano; dialetti e
lingue minoritarie; uffici pubblici

Obiettivi
descrivere in modo semplice un
fenomeno culturale (nascita di una
lingua nazionale); parlare di
lingue e dialetti; riconoscere
denominazione e funzione di
alcuni uffici pubblici; formulare
prescrizioni; parlare di problemi
burocratici

Competenze pragmatiche
sondaggio sull'uso del dialetto;
poster pubblicitario per corsi di
lingua e cultura italiana

Competenze linguistiche
Lessico: lingua italiana, dialetti,
uffici pubblici
Grammatica: il passivo con
l'ausiliare andare; il passato
prossimo dei verbi modali;
il passato remoto
Fonetica: gli scioglilingua

Culture a confronto
Le lingue degli italiani

Come impari?
Consultare il dizionario

Complimenti per il tuo italiano

Come parli/parla bene l'italiano!

Parli/Parla molto bene l'italiano.

Parli/Parla proprio bene l'italiano!

Da quanto tempo studi/studia l'italiano? Lo parli/parla così bene...

Parli/Parla bene l'italiano! Come hai/ha fatto a impararlo?

Come sei/è bravo/a in italiano.

Grazie per i complimenti.

Davvero?/Veramente? Mi fa piacere.

Mah... ho ancora molto da imparare.

Dici?/Dice? Mi fa piacere.

Grazie, mi fa piacere.

Legenda

CD ▶ 01 ascolta nel CD audio la registrazione indicata	**ii** attività di coppia
CD ROM ▶ 01 ascolta nel CD ROM la registrazione indicata	**iii** attività per piccoli gruppi
e 1 vedi il punto corrispondente nell'eserciziario	**iiii** attività per gruppi numerosi
→ 5.1 vedi il punto indicato in *Grammatica*	
▌ vedi l'attività indicata nella lezione appena conclusa	

Il piacere di imparare

1

CD ▶ 01

In questa lezione impari a:

- ⊛ spiegare come, dove e quando hai imparato qualcosa

- ⊛ definire capacità

- ⊛ evidenziare punti forti e punti deboli

- ⊛ esprimere desideri e indicare obiettivi

1 **Per iniziare**

a *Secondo te, che cosa hanno in comune queste persone? Parlane con alcuni compagni.*

ASCOLTARE

b *Ascolta e verifica le tue ipotesi.*

c Di quali corsi parlano le persone nel dialogo? Segnali nella lista.

Ambiente ___	Archeologia ___	Arte ___
Diritto ___	Geografia ___	Informatica ___
Letteratura ___	Lingue straniere ___	Medicina ___
Musica ___	Religione ___	Scienze naturali ___
Filosofia ___	Storia ___	Storia e cultura locali ___
Acquerello ___	Bricolage ___	Restauro del legno ___

2 E tu?

PARLARE

Quali corsi hai frequentato o stai frequentando? Dove? Quando?
Che cosa hai imparato o stai imparando? Parlane con alcuni compagni.

3 Che bravo!

ASCOLTARE

CD ▶ 01

a *Ascolta il dialogo ancora una volta e segna le risposte corrette.*

La signora Guglielmi ☐ ha abilità manuali.
                              ☐ è brava a restaurare mobili vecchi.
                              ☐ non è brava in francese.

L'altra donna ☐ è una brava fotografa.
                     ☐ è capace di ritoccare le foto al computer.

L'altra donna ☐ riesce   a fare lavori manuali perché   ☐ ha pazienza.
                     ☐ non riesce   ☐ non ha pazienza.

LAVORARE CON IL LESSICO

b *Associa le espressioni ai disegni. Sono possibili diverse soluzioni.*

| riesco a/sono capace di | sono negato/a per | sono portato/a per | sono bravo/a in/a |

1 _____

2 _____

3 _____

4 _____

c *E tu? In che cosa sei bravo? Per che cosa sei portato? E per che cosa sei invece negato? Completa le frasi: se vuoi, puoi usare le parole della lista. Poi intervista almeno quattro compagni e annota le risposte.*

> lavorare all'uncinetto/a maglia | cucire/cucito | riparare moto/macchine/elettrodomestici
> cambiare una lampadina/una gomma | dipingere un mobile | tinteggiare le pareti
> appendere un quadro | costruire un modellino | giardinaggio | bricolage

Sono bravo/a a... Sono bravo/a in... Sono capace di... Sono portato/a per... Sono negato/a per...

d *Lavora con alcuni compagni. Formate dei gruppi. Mettete insieme le informazioni raccolte e fate una statistica. Alla fine ogni gruppo presenta la sua statistica e la classe prepara il proprio "ritratto": quali sono le abilità più diffuse nella vostra classe?*

2–4

4 Mi piacerebbe...

a *Leggi le descrizioni e associa ogni corso a una categoria.*

> ballo | degustazione vini | grafica | montaggio video e ripresa
> recitazione teatrale | taglio e cucito

1 Si tratta di un corso pratico per imparare a realizzare correttamente tutte le piccole riparazioni su abiti, pantaloni ed altri indumenti: restringere, allargare o modificare. Accorciare o allungare, sostituire cerniere, eccetera.

2 Lo studio GattosulWeb offre corsi di grafica e corsi di web design che puoi frequentare in modo individuale o in aula con al massimo 4 persone. I corsi sono rivolti a tutti: dal principiante al professionista, dal freelance all'azienda, senza dimenticare chi intende frequentare il corso per esprimere la sua creatività, la sua personalità.

3 Vi piace il vino? Vorreste saperne di più? Vorreste fare bella figura con i vostri amici? I nostri corsi sono adatti a tutti: per i principianti il corso "Aspiranti assaggiatori di vino" e per i più preparati il corso "Sommelier professionista".

4 *Il Mosaico* vuole diffondere la danza e la musica legate a varie culture, quali il flamenco e il mondo spagnolo, il tango argentino, le danze caraibiche (salsa, cha cha cha e altre), le danze e le musiche africane, quelle del Sud Italia (pizzica, tarantella, tammurriata), la danza orientale o danza del ventre e il folklore arabo.

5 Finalmente! Le tue riprese video come un vero film! La videocamera digitale entra sempre di più nelle nostre case. Ma come trovare le nozioni pratiche e fondamentali? Questo corso vi porterà a fare un salto di qualità che vi sorprenderà. È richiesta una conoscenza di base del computer.

6 Un corso di recitazione non solamente per diventare "attori", ma soprattutto per imparare a far "suonare" due strumenti musicali che tutti possediamo e che talvolta dimentichiamo: il nostro corpo e la nostra voce. Per chi decide di abbinare il corso di dizione a quello di recitazione base, è previsto uno sconto!

b *Quale corso ti piacerebbe frequentare? Quale invece non faresti mai? Perché? Parlane con un compagno.*

5–6

5 In segreteria

Lavora con un compagno. Dividetevi i ruoli (A fa lo studente, B la segretaria della scuola) e seguite le istruzioni.

A: Vuoi iscriverti a uno dei corsi descritti al punto **4a**. Pensa, innanzi tutto, alle informazioni che ti mancano (per esempio inizio e durata del corso, orario, quota d'iscrizione, luogo, eccetera) e formula delle domande. Poi vai alla scuola, raccogli le informazioni in segreteria e fai l'iscrizione.

B: Lavori nella segreteria di una delle scuole del punto **4a**. Pensa, innanzi tutto, alle informazioni che potrebbe chiedere un cliente (per esempio, durata del corso, frequenza). Poi rispondi alle sue domande e aiutalo a iscriversi.

_l_ sottoscritt_____ nat___
a _____ il _____ residente
a _____ Via _____
Tel. _____

CHIEDE

di iscriversi per l'anno accademico 20___ / 20___ e di frequentare il seguente corso:

☐ Ballo	Lunedì 17.00 – 19.00
☐ Degustazione vini	Giovedì 18.00 – 20.00
☐ Grafica	Venerdì 16.00 – 19.00
☐ Montaggio video e ripresa	Martedì 17.00 – 19.00
☐ Recitazione teatrale	Mercoledì 17.00 – 20.00
☐ Taglio e cucito	Giovedì 16.30 – 18.00

Se il corso da me scelto non raggiunge il minimo di iscritti e di conseguenza non si forma, in alternativa scelgo di frequentare il seguente corso _____ .
Il sottoscritto dichiara di accettare il regolamento.
Versa € _____ (euro _____)

firma

_____ , li _____ _____

UTE Università della Terza Età
Gorizia

2011-2012
26° anno accademico

6 L'Università della Terza Età

a *Ascolterai un'intervista sull'Università della Terza Età. Perché la persona intervistata conosce bene quest'istituzione?*

b *Ascolta di nuovo e segna la risposta giusta.*

Per iscriversi all'UTE...

☐ bisogna avere un diploma di scuola media.   ☐ bisogna avere un diploma di scuola superiore.

☐ bisogna avere una laurea.   ☐ non bisogna avere titoli di studio.

c Ascolta un'altra volta e raccogli più informazioni possibile sui seguenti temi.

l'UTE | i corsisti | i docenti | la quota d'iscrizione

PARLARE

d Nel tuo paese esiste un'istituzione simile all'UTE? Quali somiglianze e quali differenze trovi fra l'UTE e istituzioni analoghe del tuo paese? Parlane con alcuni compagni.

7 Il motivo per cui insegno è...

SCOPRIRE LA GRAMMATICA

a Ascolta le frasi tratte dall'intervista e completale con **che** o **cui**, come nell'esempio.

I corsi sono rivolti a persone _____ li frequentano solo per interesse?

I docenti vogliono affrontare argomenti _____ magari non hanno trattato durante la loro vita lavorativa.

Io insegno proprio dall'anno in _____ sono andata in pensione.

I motivi per _cui_ teniamo questi corsi sono vari.

b Le parole che hai inserito sono pronomi relativi. Leggi le frasi ancora una volta: a che cosa si riferiscono **che** e **cui** in ogni frase? *Evidenzia* le parole e poi completa la regola.

Il pronome relativo _____ si usa come soggetto o come oggetto diretto (cioè senza preposizione).

Il pronome relativo _____ si usa con una preposizione.

Che e **cui** _____ cambiano forma. ☐   restano sempre uguali. ☐

8 *Che o cui?*

Lavora con un compagno. A turno completate le frasi con **che** o **cui** + preposizione.
Potete scegliere di volta in volta una frase senza seguire l'ordine.
Ogni frase corretta vale un punto. Vince chi ottiene più punti.

Ho fatto un corso _____	mi è piaciuto molto.
Questo è il corso _____	ti ho parlato.
Le persone _____	frequento il corso sono simpatiche.
Ci sono dei corsi _____	vorrei frequentare.
L'uncinetto è un'attività _____	non ho pazienza.
La storia è una materia _____	mi interessa molto.
Frequento un corso _____	si impara a ritoccare le foto.
Arte e Unità d'Italia è il corso _____	mi sono iscritta quest'anno.
L'italiano è una lingua _____	studio da un po' di tempo.
Il bricolage è un hobby _____	serve abilità manuale.

che

di cui
in cui
a cui
con cui
per cui

8–10

9 Giornata delle porte aperte

SCRIVERE E PARLARE

a Hai un po' di tempo libero e vuoi offrire un corso o tenere una lezione su un tema specifico presso un'istituzione della tua città. Scrivi una breve descrizione: presenta te stesso, spiega che cosa vuoi insegnare e perché.

b Leggi ora che cosa offrono i tuoi compagni e scegli un corso/una lezione.

c Ognuno dice quale corso/lezione ha scelto e spiega perché. Quali sono i corsi più richiesti?

11–16

Culture a confronto

Dare del tu o dare del Lei?

CD ▶ 04

a *Ascolta e rispondi alle domande.*

Come si rivolge l'insegnante all'allievo:
gli dà del tu o del Lei? Lo chiama per nome
o per cognome?

_____

Come si rivolge l'allievo all'insegnante:
gli dà del tu o del Lei? Lo chiama per nome,
per cognome o solo "professore"?

_____

b *È così anche nel tuo paese? Quali somiglianze e quali differenze noti?
Parlane con alcuni compagni.*

c *Nel tuo paese, in quali delle seguenti situazioni il "tu" è accettato e in quali invece è considerato
scortese? E da che cosa dipende (dall'età, dalla gerarchia...)? Leggi e poi parlane con un compagno.*

> Al lavoro che facevo in precedenza ci davamo tutti praticamente in modo obbligatorio del tu, non esisteva il Lei in nessun modo, senza distinzione di grado gerarchico aziendale. Forse per il fatto che era una multinazionale. Al lavoro dove sono adesso ci diamo in alcuni casi del tu in altri del Lei.

> Sto comprando qualcosa d'italiano in rete e devo compilare un modulo. Ho notato (con sorpresa) che il sito mi dà del tu. (*Come contattarti; Ti informiamo che...*). Non mi dispiace – ma è normale? Grazie, Mirna

> È una domanda interessante, Mirna. Ho dato un'occhiata a vari siti, non solo di negozi online, ma anche di case editrici prestigiose e di ministeri. Quasi tutti "danno del tu", anche l'Accademia della Crusca: *sostieni la Crusca. Il tuo aiuto è prezioso; visita le banche dati...*

Grammatica e comunicazione

Gli aggettivi seguiti da preposizioni → 1.1

bravo a, capace di + infinito
Sono bravo/a a dipingere mobili.
Sono capace di riparare la moto.

bravo in, portato/negato per + sostantivo
Sono bravo/a in matematica.
Sono portato/a per la geografia.
Sono negato/a per il disegno.

I verbi *riuscire* e *piacere* (con infinito) → 5.1

Riesco a fare bene questo lavoro perché
   ho pazienza.
Non riesco a fare bene questo lavoro perché
   non ho pazienza.

Mi piacerebbe frequentare un corso di tango.
Non mi piacerebbe fare un corso di cucito.

I pronomi relativi *che* e *cui* → 2.1

che → soggetto

I corsi sono rivolti a persone che li frequentano
per interesse.

che → oggetto diretto (senza preposizione)

Questo è il corso che sto frequentando.

cui → oggetto indiretto (dopo preposizione)

Questo è il corso a cui mi sono iscritta.

---

parlare di esperienze di apprendimento

L'anno scorso ho frequentato un corso di bricolage.

Sto frequentando un corso di francese.

Ho imparato/Sto imparando a ballare la
   tarantella.

descrivere le proprie capacità

Ho/Non ho abilità manuali.

Sono un bravo fotografo.

Riesco/Non riesco a cambiare una lampadina.

evidenziare i propri punti forti e deboli

Sono bravo/a a restaurare mobili.

Sono bravo/a in geografia.

Sono capace di cambiare una gomma.

Sono portato/a per la matematica.

Sono negato/a per il disegno.

fornire una motivazione

Il motivo per cui insegno è la passione per
   la materia.

esprimere desideri e preferenze

Mi piacerebbe frequentare un corso di fotografia.

Non farei mai un corso di danza.

'ALMA.tv

Vuoi approfondire un argomento di grammatica in
modo semplice e chiaro? Vai su www.alma.tv e
guarda un video della *Grammatica caffè*.
Imparerai molte cose…

Portfolio

	☺	☺	☹	📖
spiegare come, dove e quando hai imparato qualcosa	☐	☐	☐	2
definire le tue capacità	☐	☐	☐	3
evidenziare i tuoi punti forti e i tuoi punti deboli	☐	☐	☐	3, 9
esprimere desideri e indicare obiettivi	☐	☐	☐	4, 5, 9

Saper apprendere

a *La seguente tabella serve a fare il punto della situazione all'inizio di questa nuova fase di studio. Leggila con attenzione e compilala individualmente.*

	Sono capace di...	mai	a volte	sempre	nuovo obiettivo
MOTIVAZIONI PER LO STUDIO	affrontare positivamente anche le attività che non mi piacciono.	☐	☐	☐	☐
	motivarmi quando sono stanco/a.	☐	☐	☐	☐
	discutere le mie motivazioni con altri (compagni, insegnante).	☐	☐	☐	☐
APPRENDIMENTO ATTIVITÀ GENERALI	individuare i miei punti forti e i miei punti deboli.	☐	☐	☐	☐
	fissare obiettivi a breve termine.	☐	☐	☐	☐
	fissare obiettivi a lungo termine.	☐	☐	☐	☐
	usare materiali di consultazione (grammatica del libro, dizionario...)	☐	☐	☐	☐
	usare strategie di studio e di memorizzazione efficaci.	☐	☐	☐	☐
APPRENDIMENTO ATTIVITÀ LINGUISTICHE	individuare parole e concetti chiave.	☐	☐	☐	☐
	classificare e archiviare le parole nuove.	☐	☐	☐	☐
	fare esercizi di pronuncia e intonazione a casa.	☐	☐	☐	☐
COLLABORAZIONE CON I COMPAGNI	partecipare attivamente al lavoro di gruppo.	☐	☐	☐	☐
	prendere l'iniziativa all'interno del gruppo.	☐	☐	☐	☐
	imparare dal lavoro di gruppo.	☐	☐	☐	☐
	chiedere e dare aiuto ai compagni.	☐	☐	☐	☐

b *Lavora con alcuni compagni: fate il punto della situazione e datevi dei consigli per raggiungere gli obiettivi fissati.*

Un viaggio indimenticabile 2

In questa lezione impari a:

- ⊙ esprimere sorpresa

- ⊙ esprimere collera

- ⊙ calmare una persona

- ⊙ protestare per un disservizio

- ⊙ descrivere un itinerario

- ⊙ scegliere un itinerario

1 Per iniziare

Secondo te, qual è il modo migliore di viaggiare per conoscere veramente un luogo? È meglio usare un mezzo lento o veloce? Perché? Discutine con alcuni compagni.

in aereo	in treno	in bicicletta	a piedi con lo zaino
in camper o roulotte	in barca/nave	in macchina

2 **In viaggio** ASCOLTARE

a *Ascolta il dialogo: dove si svolge?*

In una stazione. ☐ In un porto. ☐ In autostrada. ☐
Su una pista ciclabile. ☐ In un aeroporto. ☐ In un'agenzia viaggi. ☐

b *Che problema ha l'uomo? E che soluzione propone la donna?*
Ascolta di nuovo, segna le risposte giuste e poi parlane con un compagno.

problema
☐ ritardo
☐ smarrimento del bagaglio
☐ cancellazione volo
☐ danneggiamento del bagaglio
☐ overbooking
☐ consegna ritardata del bagaglio
☐ maltempo

soluzione/i proposta/e
☐ attendere
☐ chiedere aiuto a un amico
☐ acquistare delle cose sul posto
☐ tornare a casa
☐ noleggiare delle cose sul posto
☐ presentare un reclamo

PARLARE

c *Hai mai avuto uno dei problemi elencati qui sopra? Dove? Quando?*
Che cosa hai fatto? Parlane con alcuni compagni.

3 **È incredibile!** LAVORARE CON IL LESSICO

a *Chiudi il libro e ascolta i mini dialoghi.*
Poi inserisci le seguenti espressioni al posto giusto.
Infine ascolta di nuovo e controlla.

| abbia pazienza | eh, mi scusi | eh, capisco... | come non risulta? |
| come non lo trova? | eccolo | eccola | ma tu guarda... | incredibile! |

1 ○ La Sua carta d'imbarco?
 ▤ _____
 ○ Bene, ha per caso l'etichetta del bagaglio?
 ▤ Eh... sì, sul biglietto... _____

2 ○ Allora, volo Milano Palermo... eh... però non lo trovo.
 ▤ _____
 ○ Eh, mi dispiace, ma qui non risulta...
 ▤ _____ E dov'è? E quando partirà?

3 ▤ Eh sì, ma io preferisco viaggiare con la mia, l'ho portata apposta!
 _____ Ma, scusi, Lei non può informarsi?

4 ▤ Eh, ma... nel pacco ci sono anche altre cose...
 ○ _____
 ▤ Come faccio senza tutte queste cose?
 ○ _____, _____, adesso è possibile fare solo questo: avviare la pratica.

5 ○ Naturalmente c'è il sito internet per controllare come procede la cosa.
 ▤ Il sito... _____ Non c'è mai una persona in carne ed ossa con cui parlare.

b *Rileggi i mini dialoghi e trova le espressioni usate per:*

esprimere sorpresa

dare qualcosa a qualcuno

manifestare collera

esprimere comprensione

scusarsi

calmare una persona

2–3 **c** *Aggiungi adesso le seguenti espressioni al punto **b**. A volte sono possibili più abbinamenti.*

> mhmm... strano... | davvero? | veramente? | non si preoccupi!
> ma non è possibile! | Le assicuro che... | Lei ha ragione, ma...

4 **Un reclamo**   PARLARE

Lavora con un compagno. Dividetevi i ruoli e fate il dialogo.
Poi scambiatevi i ruoli.

A: Andate a pagina 129.   **B:** Lavori allo sportello assistenza bagagli di un aeroporto italiano.
                         Rispondi alle domande del passeggero e cerca di calmarlo.

5 **Mezzi a due ruote**   LAVORARE CON IL LESSICO

a *Associa le parole alle foto.*

> bicicletta da uomo | bicicletta da donna | bicicletta da bambino
> bicicletta da corsa | mountain bike | moto | monopattino | motorino

1 _____

2 _____

3 _____

4 _____

5 _____

6 _____

7 _____

8 _____

         PARLARE

b *Sai andare in bicicletta? Se sì, quando hai imparato? Chi ti ha insegnato a farlo?*
E oggi ne hai una? La usi spesso? A che scopo la usi?
Oppure hai/avevi un motorino, una moto, un monopattino?

6 Un viaggio su due ruote

a *Leggi il testo e segna il percorso sulla carta.*
Scrivi accanto a ogni località quello che c'è da vedere o da fare.

IL TOUR DELLA SICILIA OCCIDENTALE:
l'archeologia, la natura a piedi e in bicicletta.

PROGRAMMA

1° Giorno

Accoglienza in aeroporto e trasferimento a Scopello. Presentazione del tour: consegna del road book e del materiale informativo. Sistemazione presso B&B.

2° Giorno

Trekking alla Riserva Naturale dello Zingaro. Pernottamento a Scopello.

3° Giorno

Da Scopello si giunge al sito archeologico di Segesta, la potente città degli Elimi (popolo proveniente dall'attuale Turchia) che ha conosciuto periodi di splendore anche sotto i Greci e i Romani. Pernottamento a Buseto. Difficoltà della tappa: facile (45 km).

4° Giorno

Da Buseto a Trapani. Si percorre la Sicilia interna attraverso campagne e luoghi solitari che esprimono il vero carattere della Sicilia contadina. Difficoltà della tappa: facile (35 km).

5° Giorno

La giornata di oggi prevede una pedalata sull'isola di Favignana, pianeggiante e raggiungibile in nave da Trapani. La minicrociera vi permetterà di osservare, da una parte, le Isole Egadi nella loro totalità e nel loro splendore, e dall'altra in cima al Monte San Giuliano, in splendida posizione panoramica su Trapani, la città di Erice, elegante borgo medioevale, con il suo indimenticabile castello costruito sui ruderi del tempio dedicato a Venere. Rientro in hotel per il pernottamento (25 km).

6° Giorno

La strada panoramica costeggia il mare attraverso i mulini a vento e le saline. Si potrà visitare quindi l'isola di Mozia, sito archeologico e sede di un museo di notevole pregio.
A Marsala visita ad una delle cantine dove si produce "il Marsala all'uovo".
Difficoltà della tappa: facile (48 km).

7° Giorno

Tappa collinare che conduce ai siti archeologici delle Cave di Cusa e di Selinunte, antica città greca fondata nel VII secolo a.C.
Difficoltà della tappa: medio-impegnativa (68 km).

8° Giorno

Prima colazione e partenza.

(adattato da *www.solebike.it*)

b *Faresti un viaggio di questo genere? Perché sì o perché no? Parlane con alcuni compagni.*

a *Associa le espressioni ai disegni, come negli esempi.*

~~zona montuosa~~ | zona pianeggiante | zona collinare | campagna
cima di un monte | posizione panoramica | ~~costa~~ | ~~bosco~~ | ~~valle~~

1 _zona montuosa_

2 _____

3 _____

4 _bosco_

5 _____

6 _____

7 _valle_

8 _costa_

9 _____

b *Trova nel testo del punto **6a** le espressioni corrispondenti a quelle evidenziate qui sotto.*

si arriva al sito archeologico di Segesta _____

si attraversa la Sicilia interna _____

corre lungo il mare _____

porta ai siti archeologici di Selinunte _____

e   4–7

c *Lavora con un compagno. Pensate a una località della vostra regione (o della regione dove studiate) e descrivetela senza dirne il nome. I compagni devono indovinare qual è. Vince chi ne indovina di più.*

Esempio:
È in una zona montuosa./Si trova sulla costa./È in campagna./È un luogo solitario.

Lingua

in salita/in discesa   a nord/a sud/a est/a ovest

---

8 Un evento memorabile   SCOPRIRE LA GRAMMATICA

a *Completa le espressioni, come nell'esempio.*

Un'isola *raggiungibile* in nave = un'isola *che si può raggiungere* in nave.

Una ruota *sostituibile* facilmente = una ruota _____ facilmente.

Un parco *visitabile* a pagamento = un parco _____ a pagamento.

Un viaggio *indimenticabile* = un viaggio che **non** *si può dimenticare*.

Una cosa *incredibile* = una cosa _____

b *Gli aggettivi del punto **a** hanno tutti una caratteristica comune.*
Come si formano? Rileggi le espressioni e completa la regola.

In genere i verbi in *-ere/-ire* perdono *-ere/-ire* e prendono _____ .

In genere i verbi in *-are* perdono *-are* e prendono _____ .

● In genere per la forma negativa si mette _____ all'inizio della parola.

Grammatica
in + l → **ill-**
in + r → **irr-**
in + m → **imm-**
in + b → **imb-**
in + p → **imp-**

c *Completa le domande con i seguenti aggettivi e poi scrivi le tue risposte.*
Alla fine fai le stesse domande a un compagno e rispondi alle sue: avete qualcosa in comune?

| illeggibile | imbevibile | immangiabile | imperdibile | insostituibile | invivibile | irraggiungibile |

	Per me	Per il mio compagno
Qual è per te un obiettivo _____ ?		
Qual è per te un evento _____ ?		
Qual è per te una città _____ ?		
Qual è per te un cibo _____ ?		
Qual è per te un oggetto _____ ?		
Qual è per te una bevanda _____ ?		
Qual è per te un libro _____ ?		

8–9

9 Il paese a tappe

SCRIVERE E PARLARE

a *Lavora con un compagno. Pensate a un itinerario nel vostro paese o nella vostra regione e progettate un viaggio a tappe. Scrivete il programma giorno per giorno: per ogni tappa indicate il punto di partenza, il punto d'arrivo, il percorso da fare, i luoghi da visitare, la lunghezza, i mezzi di trasporto ed eventualmente il grado di difficoltà. Se possibile, disegnate una cartina. Poi ogni coppia presenta il suo itinerario.*

b *Quale viaggio vi sembra più interessante per dei turisti italiani? Perché?*
Discutetene con tutta la classe e scegliete insieme un itinerario da pubblicare sul supplemento "Viaggi" di un quotidiano.

Esempio:
Preferisco ... perché è | affascinante/originale
caratteristico
pittoresco/fattibile

perché esprime...

perché mostra...

andamento lento
non si va mai abbastanza piano

il blog di edicicloeditore

10 Angeli per viaggiatori

PARLARE

a *Secondo te, chi potrebbe essere e che cosa potrebbe fare un "angelo per viaggiatori"? Parlane con un compagno.*

b *Ora leggi e verifica.*

> Andare in vacanza in una bella città senza capirne a fondo storia e particolarità è proprio un peccato. Le guide turistiche che si comprano in libreria possono aiutarci fino a un certo punto, l'ideale sarebbe avere in ogni posto un abitante disposto a portarci in giro per raccontarci
> 5 "l'anima" del luogo in cui abita. Ma chi troverebbe il tempo e la voglia di farlo? Un angelo per viaggiatori. Magari contattato via Internet con un semplice clic.
>
> E **Angeli per viaggiatori** è appunto il nome di un progetto nato dalla fantasia imprenditoriale della città più ospitale d'Italia, Napoli, che ha
> 10 pensato di creare un portale per mettere in contatto persone di tutto il mondo con un unico scopo. Creare una rete di "amici-ciceroni" che hanno voglia di accogliere i turisti e portarli in giro alla scoperta della propria città.
>
> Per "diventare angelo" occorre registrarsi al sito e indicare sul profilo
> 15 il proprio livello di disponibilità: c'è chi offre consigli via web, chi si mette fisicamente a disposizione come guida turistica e persino chi offre ospitalità gratuita in casa propria. La community degli "Angeli per viaggiatori", che ha anche un profilo su Facebook, è già attiva nel capoluogo campano e in fase di prova in molte altre città italiane e
> 20 internazionali, da Rio de Janeiro a New York. Il meccanismo è semplice: ci si registra gratuitamente, si entra a far parte della community, si consulta l'elenco dei profili degli "angeli" registrati e si contatta quello più adatto alle proprie esigenze. Ogni angelo può infatti specificare se preferisce il cinema o il teatro, se è appassionato di enogastronomia o
> 25 di arte, e in base a queste preferenze il viaggiatore è in grado di scegliere il proprio "cicerone su misura".

(da *www.viaggi.repubblica.it*)

c *Leggi l'articolo ancora una volta e rispondi alle domande.*
Poi confrontati con un compagno.

Che cos'è il progetto *Angeli per viaggiatori*?
Dov'è nato il progetto e dove si è diffuso o si sta diffondendo?
Quali servizi offre un "angelo"?

11 La guida è un angelo   SCOPRIRE LA GRAMMATICA

a *Rileggi il testo dalla riga 20 alla riga 23 ed* evidenzia *i verbi usati con il* **si***.*

b *Solo uno dei verbi che hai evidenziato è riflessivo. Quale?*
Che cosa ha di particolare? Parlane con un compagno.

> Grammatica
>
> si contatta un angelo/**non** si contatta un angelo
> ci si mette in contatto/**non** ci si mette in contatto

c   *Cosa succede se si visita una città con un "angelo" e cosa succede
invece senza "angelo"? Insieme a un compagno scrivete delle frasi,
come nell'esempio. Se volete, potete usare i verbi qui sotto.
Poi formate nuove coppie e parlate con un altro compagno:
è d'accordo con le vostre idee?*

muoversi	incontrare	incontrarsi	conoscere	godersi
rilassarsi	fermarsi	apprezzare	perdersi	orientarsi

Con un "angelo"…

...ci si orienta più facilmente.

Senza un "angelo"…

...non si trova la strada così facilmente.

10–16

12 **Tanti amici nella città che vuoi visitare**

PARLARE E SCRIVERE

La tua classe ha deciso di aderire all'iniziativa:

angelsfor**travellers**
UN AMICO NELLA CITTÀ CHE VUOI VISITARE

a   *Dividetevi in gruppi e formulate dei consigli di viaggio per una città/regione:
luoghi imperdibili, ristoranti in cui mangiare, musei da visitare, negozi in cui fare acquisti,
idee per partecipare alla vita quotidiana della città, cose che è meglio non fare, eccetera.*

b   *Cercate nel vostro gruppo delle persone disposte a fare gli "angeli" e aiutatele a scrivere
il loro profilo: nome, cognome, età (se volete), interessi, lingue parlate, tipo di servizio
che si vuole offrire.*

c   *Ogni gruppo presenta il suo progetto e i suoi "angeli", la classe sceglie le idee
migliori ed elabora una proposta comune per creare una sezione del portale
"Angeli per viaggiatori" dedicata alla città/regione.*

Culture a confronto

Il galateo del turista

a *Guarda i disegni: qual è il problema in queste situazioni? Parlane con un compagno.*

b *Quali di questi comportamenti sono accettati e quali sono considerati scortesi nel tuo paese? Parlane con alcuni compagni.*

c *In gruppo, provate a redigere il "galateo del turista in Italia". Poi presentatelo alla classe.*

Grammatica e comunicazione

Le preposizioni: *in*, *a* (complemento di modo) → 7

> Viaggio in aereo/treno/macchina/camper/bicicletta.
> Viaggio a piedi con lo zaino.

Gli aggettivi in *-bile* → 1.2

> Una località raggiungibile.
> (= che si può raggiungere)
> Un viaggio indimenticabile.
> (= un viaggio che non si può dimenticare)

Gli aggettivi che terminano in *-bile* esprimono una possibilità.

credibile	→	incredibile
mangiabile	→	immangiabile
leggibile	→	illeggibile
bevibile	→	imbevibile
raggiungibile	→	irraggiungibile
pensabile	→	impensabile

Gli aggettivi in *-bile* diventano negativi aggiungendo i prefissi *in-/ill-/irr-/im-*.

I verbi riflessivi alla forma impersonale (*si*) → 5.2.1

> (Non) ci si registra gratuitamente.
> La forma impersonale dei verbi riflessivi è *ci si* + verbo alla terza personale singolare.

L'aggettivo *proprio* → 3

> Si gira per la città con il proprio "angelo".
> *Proprio* sostituisce *suo* nella forma impersonale (*si*).

Occorre + infinito (*è necessario/si deve*) → 5.2.1

> Per diventare "angelo" occorre registrarsi al sito.

esprimere sorpresa

> Come non trova il mio bagaglio?
>
> Come non risulta?
>
> Incredibile!
>
> Ma tu guarda!

scusarsi

> Eh, mi dispiace, ma...
>
> Eh, mi scusi.

descrivere un itinerario

> Si giunge al sito archeologico di Segesta.
>
> Si percorre la Sicilia interna.
>
> La strada costeggia il mare.
>
> La tappa conduce alle Cave di Cusa.

calmare una persona

> Abbia pazienza.

esprimere comprensione

> Eh, capisco...

indicare qualcosa verbalmente

> ● Ha per caso l'etichetta del bagaglio?
>
> ● Sì, eccola.

descrivere il paesaggio

> È in una zona montuosa/pianeggiante/collinare.
>
> Si trova sulla costa/in posizione panoramica.
>
> È in campagna/in un bosco/in una valle.
>
> È un paesaggio affascinante/pittoresco/indimenticabile.

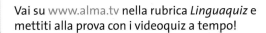

Vai su www.alma.tv nella rubrica *Linguaquiz* e mettiti alla prova con i videoquiz a tempo!

Portfolio

	😄	🙂	🙁	📘
esprimere sorpresa	☐	☐	☐	3, 4
esprimere collera	☐	☐	☐	3, 4
calmare una persona	☐	☐	☐	3, 4
protestare per un disservizio	☐	☐	☐	4
descrivere un itinerario	☐	☐	☐	9
scegliere un itinerario e motivare la scelta	☐	☐	☐	9
formulare consigli di viaggio	☐	☐	☐	12

Sbagliando s'impara

a *Quali sono le tue abitudini di scrittura nella tua lingua madre?*

Scrivo: ☐ spesso ☐ ogni tanto ☐ raramente ☐ mai

Scrivo: ☐ volentieri ☐ soltanto se è necessario

Scrivo per: ☐ motivi privati ☐ lavoro ☐ entrambi i motivi

Di solito: ☐ scrivo solo il necessario ☐ scrivo molto

☐ trovo la misura giusta ☐ dipende dall'umore

Rileggo e correggo: ☐ sempre ☐ ogni tanto ☐ mai

Chiedo a qualcuno di rileggere e correggere: ☐ sempre ☐ ogni tanto ☐ mai

b *Pensa ora alla scrittura in lingua italiana. Rileggi il questionario: cambia qualcosa nelle risposte?*

c *Rileggere e correggere sono due operazioni importanti, soprattutto se si scrive in una lingua straniera. Attraverso gli errori è possibile imparare molto. Rileggi dunque il tuo testo dell'esercizio* **16** *a pagina 136 e prova a correggerlo insieme a un compagno. Se non siete sicuri, chiedete aiuto all'insegnante.*

d *Quali errori hai trovato? Secondo te, perché hai sbagliato? Ecco alcune idee.*
Prova a completare la tabella (puoi usare quella a pagina 129).

COME HO SCRITTO IN ITALIANO	COME DOVEVO SCRIVERE	PERCHÉ HO SBAGLIATO	
Il viaggio è mi piaciuto.	Il viaggio mi è piaciuto.	Non conoscevo la regola.	☐
		Ho dimenticato la regola.	☐
		Conoscevo la regola, ma nella mia lingua si dice così e io ho pensato nella mia lingua.	☐
		È stato un errore casuale.	☐
		... ...	☐

e *Lavora con un compagno. Rileggete i motivi degli errori e pensate a come potreste evitarli.*

Mosaici familiari

In questa lezione impari a:

- parlare della famiglia
- descrivere e paragonare situazioni/atteggiamenti
- identificare un'opinione espressa da altri
- esprimere la tua opinione

1 Per iniziare

Secondo te, che cosa stanno facendo queste persone?
Di che cosa stanno parlando? Parlane con alcuni compagni.

2 Io mi ricordo

a *Secondo te, che cosa può essere una "banca della memoria"?*
Parlane con un compagno.

29

b *Ora leggi e verifica le tue ipotesi.*

Nel giugno del 2008 quattro giovani torinesi – Lorenzo Fenoglio, Franco Nicola, Luca Novarino e Valentina Vaio – creano una "banca della memoria" per raccogliere, sotto forma di interviste video pubblicate su YouTube, i racconti degli anziani, prima in Piemonte e poi in tutta Italia. [...] Oggi la Banca della memoria ha un proprio sito, che vanta più di un milione di visitatori e raccoglie circa 2.000 interviste da tutto il mondo, per un totale di 800 persone intervistate.
Al materiale raccolto negli anni dalla Banca della memoria è dedicato il Dvd *Io mi ricordo*. Novanta minuti di interviste per raccontare il Novecento attraverso le memorie di persone comuni che lo hanno vissuto quasi interamente, testimoni dei grandi eventi della storia come della vita quotidiana. [...]
Insieme al Dvd, Stile libero* pubblica il libro *Io mi ricordo. Ritratti di nonni scritti da nipoti* a cura di Giacomo Papi. Alla base del libro un appello lanciato tempo fa, su Internet, da Banca della memoria: chi lo desiderava poteva inviare un breve ricordo di una persona anziana amata quando si era bambini. Le risposte sono state quasi mille in poco più di un mese e il libro raccoglie settanta di questi brevi ritratti che raccontano gli anziani del Novecento attraverso gli occhi dei bambini di allora.

*Stile libero = collana della casa editrice Einaudi

(da *www.einaudi.it/speciali/Io-mi-ricordo*)

Grammatica		
quando	io ero	bambino
quando	noi eravamo	bambini
quando	**si era**	bambin**i**
quando	io ero	giovane
quando	noi eravamo	giovani
quando	**si era**	giovan**i**

c *Cosa contiene il DVD **Io mi ricordo**?*
*Cosa contiene il libro **Io mi ricordo**?*
Parlane con un compagno.

d *Sai se la Banca della memoria esiste anche nel tuo paese?*
Chi intervisteresti tu per mandare un contributo? Perché?
Parlane con alcuni compagni.

e 1–2

3 Genitori e figli

CD ▶ 07

a *Ascolta il racconto di Adriano, una persona intervistata dalla Banca della memoria. In quale periodo del Novecento si svolge l'episodio che racconta?*

negli anni   venti ☐   sessanta ☐   ottanta ☐

CD ▶ 07

b *Ascolta di nuovo e rispondi alle domande.*

Quanti anni aveva Adriano allora?
Lavorava o studiava?
Che cosa faceva durante le pause?
Che notizia ha dato quel giorno a suo padre?
Come ha reagito il padre?
Che cosa ha fatto allora Adriano?

'ALMA.tv

Per imparare l'italiano con successo puoi leggere una storia a fumetti! Vai su www.alma.tv nella rubrica *L'italiano con i fumetti* e guarda il video di un episodio di "Una storia italiana". Alla fine puoi fare anche gli esercizi on line per verificare la comprensione. Cosa aspetti?

c *Come definiresti il rapporto fra genitori e figli nella famiglia di Adriano?*
Parlane con un compagno e segna la soluzione. Se necessario, ascolta ancora una volta.

☐ I figli erano indipendenti e avevano molta libertà.
☐ I genitori comandavano e i figli obbedivano.
☐ I genitori cercavano di essere comprensivi con i figli.

4 Nella mia famiglia

PARLARE

*Nella tua famiglia o in quella dei tuoi genitori i rapporti erano simili a
quelli che descrive Adriano? I figli che cosa dovevano fare e che cosa potevano fare?
E com'erano i rapporti con i nonni? Parlane con alcuni compagni. Se volete, potete
usare i seguenti aggettivi.*

aperto | autoritario | permissivo | severo | apprensivo | affettuoso

5 Nonne

LEGGERE

a *Leggi i testi. Quale nonna assomiglia di più alla tua
o a un'altra persona che conosci?*

❶ Nei miei pomeriggi di bimba prendevo spesso la bicicletta e andavo a trovare mia nonna Maria. Ogni tanto mi portavo i libri e studiavo nella sua cucina, mentre lei lavorava a maglia, leggeva o scriveva. Le faceva piacere avermi vicino, stava in silenzio per non disturbarmi e ogni tanto mi chiedeva "M'andem?" "Eh?!" "Ho detto COME VA?" "Ah, bene!". Quanto si spazientiva quando non capivo il dialetto! Verso le 5 facevamo merenda, lei mi preparava pane e marmellata, spesso pane e Nutella. Mi dava le spalle appoggiandosi al ripiano accanto ai fornelli, mentre io rimanevo seduta al tavolo. "Nonna, ma tu non mangi niente?" "Mi no", con la coda dell'occhio poi vedevo che ingurgitava velocemente dei cucchiaini stracolmi di Nutella. Dopo ci sedevamo un po' insieme e chiacchieravamo, lei mi raccontava del suo passato, della sua famiglia.

❷ La mia nonna materna è morta. Era una professoressa di italiano, latino e storia, ha insegnato fino a 70 anni; in famiglia non ci raccontava molto della sua vita, ma ci aiutava con i compiti, aveva molti interessi, le piaceva molto disegnare, mi ha tramandato questa sua passione, infatti ora frequento il quinto anno d'Istituto d'Arte. Mentre la mia nonna paterna è l'unica che mi resta, ha ottantotto anni, e abita a Torre Annunziata, ormai, purtroppo non esce più di casa, vado a trovarla ogni domenica e quando posso, quando la vedo mi racconta la storia della sua famiglia.

(da *www.memoro.org/it*)

b *Associa le parole, tratte dal primo testo di pagina 31, ai significati.*

si spazientiva   parlavamo un po'
facevamo merenda   pienissimi
ingurgitava   mangiavamo qualcosa (il pomeriggio)
stracolmi   perdeva la pazienza
chiacchieravamo   mangiava rapidamente

6 Raccontare

a *Completa la frase con le parole che trovi nel testo
numero 1 del punto **5**.*

_____ nella sua cucina, mentre lei _____

a maglia, _____ o _____ .

b *Rileggi ora la frase e completa la regola.
~~Cancella~~ l'opzione sbagliata.*

Per raccontare due o più azioni contemporanee
al passato si usa il tempo imperfetto/passato prossimo.
Le azioni sono collegate tra loro da *mentre*.

> **Lingua**
>
> La mia nonna materna è morta,
> **mentre** la mia nonna paterna è
> l'unica che mi resta.
> Qui: *mentre* = invece

c *Scrivi una frase sotto ogni disegno. Usa come modello la frase
del punto **a**. Poi parlane con un compagno.*

nonno/nipote   papà/bambini   mamma/figli

7 Ritratti

a *Lavora con un compagno. Pensa ai tuoi nonni o a un'altra persona a cui hai voluto bene da bambino.
Il tuo compagno ti intervisterà su quella persona e prenderà appunti.
Poi scambiatevi i ruoli.*

b *Con gli appunti che hai preso scrivi un breve ritratto della persona di cui ti ha parlato il tuo compagno.*

c *Formate dei gruppi. Mettete i ritratti sul banco e leggeteli. Quale vi piace di più?*

8　Affari di famiglia

LAVORARE CON IL LESSICO

a *Associa le definizioni ai significati.*

divorziati

il mio fidanzato/la mia fidanzata

conviventi (compagno e compagna)

separati

suocero/suocera

il mio ragazzo/la mia ragazza

vedovo/vedova

coppia che vive insieme, ma non è sposata

persone che erano sposate e non lo sono più

persone ancora sposate ma che non vivono più insieme

si dice di una persona quando il suo coniuge è morto

padre/madre del coniuge

il ragazzo/la ragazza con cui sto

la persona che sposerò

> **Lingua**
>
> il mio ex marito/ragazzo
> la mia ex moglie/ragazza
> il mio ex/la mia ex

PARLARE

b *Lavora con un compagno. Guardate le foto. Che rapporto di parentela ci può essere fra queste persone? Fate delle ipotesi. Se volete potete usare i vocaboli del punto **a**.*

ASCOLTARE

Giorgio

Enzo

Claudia

Dino

Patrizia

Lucia

Cristina

Carlo

Lina

c *Ascolta la conversazione e verifica. Hai indovinato?*

d *Ascolta di nuovo. Qual è il problema?*

e *Chi pensa che cosa? Ascolta di nuovo e completa le frasi con i nomi delle persone.*
Poi parlane con un compagno.

Enzo | Giorgio | Cristina e Carlo

_____ pensano che in fondo non sia poi così difficile trovare una soluzione.

Secondo _____ non sono affari suoi.

Claudia pensa che siano due incoscienti.

Per _____ sono matti. E non crede che la ragazza voglia parlare con lui.

Dino crede che i ragazzi facciano benissimo a provare.

Lucia crede che i ragazzi vivano una fase di "follia passeggera". Pensa che i ragazzi in realtà
capiscano il problema.

e 5–7

9 Io penso che...

SCOPRIRE LA GRAMMATICA

a *Per esprimere delle opinioni Enzo e Claudia usano, in alcuni casi,
un nuovo modo verbale, il congiuntivo presente: per esempio, **sia** nella
prima frase del punto **8e**. Insieme a un compagno, cercate ed evidenziate
i verbi al congiuntivo nelle altre frasi. Poi completate le tabelle.*

Verbi regolari

	abitare	vivere	sentire	capire
(io)	abit**i**	_____	sent**a**	_____
(tu)	abit**i**	viv**a**	sent**a**	cap**isca**
(lui/lei/Lei)	_____	viv**a**	_____	cap**isca**
(noi)	abit**iamo**	viv**iamo**	sent**iamo**	cap**iamo**
(voi)	abit**iate**	viv**iate**	sent**iate**	cap**iate**
(loro)	abit**ino**	_____	sent**ano**	_____

Verbi irregolari

	fare	volere	essere	avere
(io)	_____	voglia	_____	_____
(tu)	faccia	_____	sia	abbia
(lui/lei/Lei)	_____	_____	_____	_____
(noi)	facciamo	vogliamo	siamo	abbiamo
(voi)	facciate	vogliate	siate	abbiate
(loro)	_____	vogliano	_____	abbiano

b *Osserva bene le tabelle. Come si forma il congiuntivo presente dei verbi regolari?*
E quello dei verbi irregolari? Parlane con un compagno.

10 Io invece credo...

a *Completa le frasi con i verbi al congiuntivo e associa ogni frase a una delle persone elencate.*
Poi parlane con un compagno. Sono possibili diverse soluzioni.

	crede che _____ *(essere)* meglio finire prima gli studi.
Lina, la nonna acquisita di Cristina,	pensa che Cristina _____ *(attraversare)* una fase di crisi. Succede, alla sua età...
Patrizia, la sorella minore di Cristina,	pensa che il matrimonio _____ *(portare)* con sé molte responsabilità, troppe per dei ragazzi.
Paolo, compagno di studi di Carlo,	crede che il matrimonio _____ *(cambiare)* la vita. E poi lo sport, il tempo libero...?
Giada, l'amica del cuore di Cristina,	
Piero, il nonno paterno di Carlo,	crede che Carlo non _____ *(capire)* fino in fondo il problema.
Giuseppe, l'allenatore di calcio di Carlo,	pensa che la mamma e il papà _____ *(fare)* troppe storie.

8–12

b *E qual è la tua opinione sulla scelta di Carlo e Cristina?*
Parlane con alcuni compagni.

_____ PARLARE

Credo/Penso/Trovo che facciano bene.

Credo/Penso di sì/no.

Per me/Secondo me fanno bene.

13–17

11 Carlo e Cristina 50 anni dopo...

_____ PARLARE

Immagina Carlo e Cristina a 70 anni.
La Banca della memoria gli ha chiesto di raccontare la loro storia.

a *Dividetevi in gruppi e immaginate la vita di Carlo e Cristina nei successivi 50 anni (per esempio:*
si sono sposati o no? Hanno avuto figli? Che lavoro hanno fatto o fanno ancora?).

b *Nel vostro gruppo scegliete una persona per il ruolo di Carlo e una persona per quello di Cristina*
e aiutateli a prepararsi a raccontare.

c *Davanti al microfono della Banca della memoria Carlo e Cristina raccontano la loro storia.*
La classe vota il racconto migliore.

Culture a confronto

Vita di famiglia e riti di passaggio

a *Nell'attività* **3** *hai ascoltato una persona (Adriano) che racconta un episodio importante della sua vita: per lui è un momento di svolta. Leggi le definizioni qui sotto: quale corrisponde a quel momento della vita di Adriano? E secondo te, a che età si vivono questi momenti in Italia? E conosci qualche tradizione italiana legata a tali occasioni? Parlane con alcuni compagni.*

nascita di un figlio | maggiore età | "uscita" dalla famiglia di origine | matrimonio

b *Ecco alcuni usi e costumi che caratterizzano una delle occasioni del punto* **a***: quale? Inserisci ogni espressione nel testo opportuno e poi parlane con un compagno.*

fede

pioggia

confetti

bomboniere

fiori d'arancio

riso

In Italia la _____ è di buon augurio: si dice infatti "sposa bagnata, sposa fortunata".

Gli sposi regalano agli invitati le _____ che sono dei sacchetti di pizzo o scatolette contenenti dei _____ (piccoli dolci fatti di mandorle e zucchero). Questi devono essere bianchi e in numero dispari, di solito cinque perché rappresentano salute, fertilità, lunga vita, felicità e ricchezza.

La _____ si porta all'anulare sinistro perché, secondo gli antichi Egizi, una vena collegava questo dito direttamente al cuore. Secondo la tradizione, la compra lo sposo, ma spesso la regalano i testimoni.

Il giorno delle nozze la sposa porta tradizionalmente i _____, simbolo di purezza.

Dopo la cerimonia gli invitati buttano sugli sposi del _____ che simboleggia una pioggia di fertilità.

Il regalo normalmente si manda agli sposi prima del giorno delle nozze. A volte gli invitati lo possono scegliere in una lista di nozze, cioè un elenco di oggetti che gli sposi hanno depositato in un negozio per facilitare la scelta.

c *Quali usi e costumi citati al punto* **b** *esistono anche nel tuo paese? Quali invece sono diversi? Parlane con alcuni compagni.*

Grammatica e comunicazione

La forma impersonale (*si*) con sostantivi e aggettivi → 5.2.2

Quando si era bambini si giocava con i nonni.
Quando si era giovani si avevano molti sogni.

La congiunzione *mentre* → 6

mentre + **imperfetto** = nello stesso tempo
Io studiavo in cucina mentre la nonna lavorava
   a maglia.

mentre = al contrario
La mia nonna materna è morta, mentre la nonna
   paterna è ancora viva.

Il congiuntivo presente: le forme
verbi regolari → 5.5.1.1

	abitare	vivere	sentire	finire (pres. *-isc-*)
(io)	abiti	viva	senta	finisca
(tu)	abiti	viva	senta	finisca
(lui, lei, Lei)	abiti	viva	senta	finisca
(noi)	abitiamo	viviamo	sentiamo	finiamo
(voi)	abitiate	viviate	sentiate	finiate
(loro)	abitino	vivano	sentano	finiscano

verbi irregolari → vedi tabella in terza di copertina

	essere	avere	fare	volere
(io)	sia	abbia	faccia	voglia
(tu)	sia	abbia	faccia	voglia
(lui, lei, Lei)	sia	abbia	faccia	voglia
(noi)	siamo	abbiamo	facciamo	vogliamo
(voi)	siate	abbiate	facciate	vogliate
(loro)	siano	abbiano	facciano	vogliano

Il congiuntivo presente: l'uso → 5.5.1.2

Dino crede/trova che i ragazzi facciano
   benissimo.
Claudia pensa che siano due incoscienti.

Per me i ragazzi fanno bene.
Secondo me sono incoscienti.

Il congiuntivo presente si usa per esprimere
un'opinione personale. Pertanto si usa dopo verbi
come *credere* e *pensare*. Dopo le espressioni
secondo me/te/lui/... e *per me/te/lui/...* si utilizza
l'indicativo presente.

descrivere rapporti di parentela

Enzo e Claudia sono divorziati.
Mia nonna è vedova.
Enrico è il compagno di Susanna.

descrivere persone e abitudini del passato

Da bambina passavo i pomeriggi con mia nonna:
   le faceva piacere avermi vicino.
I miei genitori erano permissivi.
Mia nonna era una professoressa di italiano e ci
   aiutava con i compiti.

descrivere e paragonare atteggiamenti del passato e del presente

Negli anni cinquanta i genitori comandavano e i
   figli obbedivano, oggi non è più così

esprimere la propria opinione

Credo/Penso/Trovo che Carlo (non) abbia
   ragione.
Per me/Secondo me Carlo (non) ha ragione.

● Credi/Pensi che Carlo abbia ragione?
● Credo/Penso di sì/no.

Portfolio

	😄	🙂	☹️	📖
parlare della famiglia	☐	☐	☐	4, 5, 7, 11
descrivere e paragonare situazioni/atteggiamenti	☐	☐		3, 4
scrivere un breve ricordo di una persona	☐	☐		7
identificare un'opinione espressa da altri	☐	☐	☐	8
esprimere la tua opinione su un problema	☐	☐	☐	10

Chiarimenti

a *A volte, in una discussione, è necessario chiedere e/o dare spiegazioni.*
Nella tua lingua come ti comporti?

Chiedo spiegazioni appena mi accorgo di non aver capito. ☐

Aspetto e ascolto ancora un po' per vedere se capisco. ☐

Non chiedo spiegazioni e "interpreto" per conto mio. ☐

b *Che cosa si può dire per chiedere spiegazioni in italiano?*
Associa le seguenti espressioni agli usi elencati sotto.

È chiaro? | Capisci cosa voglio/intendo dire? | Non capisco./Non ho capito.
Che (cosa) vuoi/intendi dire? | Che (cosa) vuol dire/significa questo?
(Questo) vuol dire/significa che... | Voglio/Intendo dire che...

Chiedere se l'altro ha capito: _____

Segnalare di non aver capito: _____

Chiedere spiegazioni: _____

Dare spiegazioni: _____

c *Confronta le tue soluzioni con quelle di un compagno.*
Poi riflettete: conoscete altre espressioni utili? Inseritele nella lista.

d *In coppia scegliete una delle seguenti situazioni, legate alla vicenda di Carlo e Cristina,*
oppure inventate voi una situazione. Poi simulate la situazione scelta e discutete per
almeno cinque minuti. Provate a usare il più possibile le espressioni del punto **b**.

Cristina si confida con la nonna Lina e le chiede consiglio.

Carlo si confida con Paolo, un compagno di studi, e gli chiede un parere.

Enzo e Dino discutono sulle intenzioni di Carlo e Cristina.

Patrizia, la sorella minore di Cristina, discute del problema con sua madre.

Cristina parla con Giada, la sua amica del cuore.

Carlo parla con Giuseppe, il suo allenatore di calcio.

Il mondo in rete

In questa lezione impari a:

- fare una supposizione

- descrivere il carattere di una persona

- esprimere un'opinione/ impressione

- esprimere una volontà

- esprimere accordo/ disaccordo/incredulità

- elencare aspetti positivi e negativi

1 Per iniziare

a *In quali situazioni si possono fare nuove amicizie? Lavora con alcuni compagni. Elencate le situazioni più adatte alle diverse fasce d'età (bambini, adolescenti, giovani, adulti, eccetera). E dove nascono le amicizie che durano più a lungo? Perché?*

a scuola   in vacanza   in Internet

a una festa   in palestra   al lavoro

CD ▶ 09

b *Ascolta i dialoghi e compila la tabella.*

	Da quanto tempo si conoscono?	Come si sono conosciuti?
Silvia e Mirella		
Paolo, Pietro e Andrea		
Laura e Mario		

2 **Sarà un anno...** SCOPRIRE LA GRAMMATICA

a *Nelle seguenti frasi le persone intervistate usano il futuro. Perché?*
Parlane con un compagno e insieme scegliete la soluzione corretta.

○ Da quanto tempo vi conoscete?

▨ Oh, di preciso non lo so. Ma *saranno* almeno 20 anni.

○ E quanti anni ha Mario?

▶ Mah, esattamente non si sa... Ne *avrà* più o meno 3.

Gli intervistati usano il futuro per   ☐ dire che cosa succederà in futuro.
☐ fare supposizioni/ipotesi.

b *Guardate i disegni e fate i dialoghi, come nell'esempio.*

○ Suonano alla porta. Chi sarà?

▨ Boh, sarà il postino.

> **Lingua**
> Boh = (qui) Non lo so

suonare alla porta/chi/essere | essere/il postino

il cane/abbaiare/cosa/avere | avere fame

io/non sentire i bambini/dove/essere |
stare giocando in giardino

io/non avere l'orologio/che ora/
essere | essere le 10:00

Mario/essere in vacanza/che /
stare facendo | fare il bagno

c *Pensa a un amico/un'amica. Da quanto tempo vi conoscete?*
E come vi siete conosciuti? Parlane con alcuni compagni.

3 Che carattere!

a *Secondo te, di che cosa si sta discutendo in questo blog?*
Leggi i post, poi parlane con un compagno e scrivi nel
riquadro il tema della discussione.

Lingua

quello che vede = le cose che vede

○○○   **messaggi**

Mirna

Io ne ho già una: si chiama Veronica. La conosco dalla prima elementare. Già dal primo giorno di scuola era molto carina, socievole, gentile ed affettuosa. Poi con il passare del tempo ci siamo conosciute meglio. Sono passati gli anni e Veronica ed io siamo diventate inseparabili perché ogni volta che sono triste lei sa come consolarmi e anche perché è molto ma molto saggia.

Lucia

Bella domanda! Questo sì che è un topic che richiede abbastanza meditazione. Dovrebbe dirmi sempre quello che pensa, quello che sente e quello che vede esattamente. Mi dovrebbe essere vicino se sto male e se piango.... dovrebbe conoscere il modo per farmi stare meglio, e prima di tutto dovrebbe conoscere sia le mie debolezze che i miei punti di forza. Non dovrebbe per forza condividere i miei hobby o le mie passioni... anzi, più ci sono differenze, più è bello conoscersi!

Massimo

Dev'essere moooolto paziente... non sono un tipo facile, poi sono chiuso e timido... quindi deve essere comprensivo. Ciao!

Giorgio

Diciamo che deve avere queste quattro caratteristiche: sincero, presente, affidabile, fedele.

b *Leggi di nuovo i post: quali aggettivi usano gli autori per descrivere il carattere di una persona? Cercali e scrivili accanto alle definizioni come negli esempi. Poi confrontati con un compagno.*

pieno di attenzioni per gli altri	→	*carino/*
ama stare con gli altri	→	
dimostra i propri sentimenti/la propria amicizia	→	
pensa e agisce con buon senso	→	*saggio*
ha pazienza	→	
non ama parlare di sé	→	
non sicuro nel rapporto con gli altri	→	*timido*
capisce le ragioni degli altri	→	*comprensivo*
dice le cose che pensa	→	
mi è sempre vicino	→	
merita fiducia	→	*affidabile*
costante nei rapporti con le persone	→	*fedele*

c *Trova nella lista del punto **b** il contrario dei seguenti aggettivi.*

inaffidabile ≠ _____   infedele ≠ _____

impaziente ≠ _____   assente ≠ _____

solitario ≠ _____

e 3–6

4 **Chi trova un amico trova un tesoro.**   PARLARE

Com'è, secondo te, un buon amico? Parlane con alcuni compagni e insieme elencate le caratteristiche, come negli esempi. Alla fine ogni gruppo presenta le sue idee e la classe le mette in ordine d'importanza in una lista comune.

Un buon amico mi ascolta anche alle tre di notte.

Un buon amico è pronto a farmi compagnia.

Un buon amico sa mantenere i segreti.

CD ▶ 10 **5** **Un aperitivo con gli amici**

a *Un gruppo di amici si incontra al bar. Una di loro, Barbara,
è in ritardo: perché? Ascolta e poi parlane con un compagno.*

CD ▶ 11

b *Secondo te, con chi "chatta" Alberto la domenica?
Parlane con un compagno e "costruite" la vostra risposta.
Poi ascoltate e verificate.*

Con gli amici...   ... per organizzare la serata insieme.

Con i colleghi...   ... per discutere problemi importanti.

Con i suoi figli...   ... per parlare del più e del meno.

Con la fidanzata...   ... per mantenere i contatti.

CD ▶ 12

c *Ascolta ancora una volta tutto il dialogo.
Quali dei seguenti modi di comunicare citano i quattro amici?*

conversazione faccia a faccia ☐   telefonata ☐

sms ☐   e-mail ☐   social network ☐

d *Quali dei modi di comunicare citati al punto **c** utilizzi anche tu?
In quali occasioni? Con quale frequenza? Perché? Parlane con alcuni compagni.*

6 **Mi sembra che...**   SCOPRIRE LA GRAMMATICA   4

CD ▶ 13

a *Prova a completare le frasi tratte dal dialogo.
Poi ascolta e verifica.*

| a me pare che | non ti sembra che | a me non sembra che | non vuoi che |

_____ non sia così grave: io, per esempio...

Ma _____ quest'uso della tecnologia favorisca l'isolamento?

Quando stai in camera a leggere un libro e _____ ti disturbino, cosa fai?

_____ dipenda dall'età, sai.

b *Rileggi le frasi complete e discuti con un compagno sulle espressioni
che avete inserito: quali servono per esprimere un'opinione/impressione e quali
per esprimere una volontà? Quale modo verbale si usa con queste espressioni?*

opinione/impressione: _____   modo verbale usato: _____

volontà: _____   modo verbale usato: _____

c *In coppia formulate delle frasi con le seguenti espressioni.
Avete 5 minuti di tempo. Vince la coppia che per prima formula più frasi corrette.*

7–8

| pensare che | credere che | volere che | sembrare che | secondo noi | per noi |

7 Sono d'accordo!

Ascolta i minidialoghi: a che cosa servono le espressioni evidenziate?
Numera ogni espressione in base al significato, poi parlane con un compagno.

> 1 esprimere incredulità   2 esprimere accordo   3 esprimere disaccordo

○ Eh, chattiamo in casa. A un certo punto uno scrive "Caffè?" e ci troviamo in cucina a chiacchierare.

▨ Ma va!? Sul serio?! Siete tutti nella stessa casa e comunicate via chat?? Ma dai! Non ci credo!

▨ Non ti sembra che questo favorisca l'isolamento?

○ No. Perché, scusa? Quando stai chiusa in camera a leggere un libro, cosa fai? Non ti isoli?

▶ Eh beh, ma è un'altra cosa...

○ Ma no, perché?!

● I giovanissimi sono quasi più equilibrati degli adulti.

▨ Mah, sarà...

○ È vero, Susanna, hai ragione.

> **Lingua**
> non *ci* credo = non credo *a questa cosa*

8 Tecnologia e comunicazione

PARLARE

Secondo te, che cosa cambia se si comunica faccia a faccia
o attraverso un computer? Parlane con un compagno.

9 Quanti amici hai?

LEGGERE

a *Leggi il seguente testo. Chi è "lui" nel racconto? E che lavoro fa?*

"Pa?" dice Jenny a un certo punto, senza staccare gli occhi dallo schermo del computer. "Lo sai che hai duemilatrecentocinquantasette amici?"

"Eh?" dice lui.

"E continuano ad aumentare" dice Jenny.

"Di cosa stai parlando?" dice lui, con una vaga sensazione di allarme che comincia a salirgli dentro.

"Su Facebook" dice Jenny. "La tua page."

"La mia cosa?" dice lui, va a guardare. Sullo schermo del computer c'è una sua vecchia foto in motocicletta presa dal sito che gli ha fatto la casa editrice, e sotto la scritta *Ecco alcuni amici di Daniel Deserti* ci sono foto più piccole di persone del tutto sconosciute, con i loro nomi del tutto sconosciuti.

"Visto?" dice Jenny.

"Chi cavolo sono questi?" dice lui, cerca di decifrare le piccole facce e i piccoli testi.

"I tuoi amici" dice Jenny, sembra divertita dalla sua reazione.

"Non sono affatto miei amici, questi!" dice lui. "Non li ho mai visti in vita mia!"

"Ma leggono i tuoi libri!" dice Jenny. "Ce ne sono molti di più, guarda." Clicca sulla scritta *Visualizza gli amici di Daniel Deserti*: appaiono decine di nuove piccole facce, altrettanto sconosciute.

"Come cavolo sono arrivati lì dentro?" dice lui, in uno stato di agitazione crescente. "E perché?"

"Ti vogliono dire delle cose" dice Jenny.

"Quali cose?" dice lui. "Quali?"

"Salutarti, non so" dice Jenny. "Farti delle domande. Guarda qui." Clicca da qualche parte, fa apparire altre foto ancora, e una serie apparentemente infinita di frasi tipo *DD ti adoro mi fai battere il cuore forte forte* [...].

"Ma io non ho voglia di rispondere a nessuna domanda!" dice lui, a voce più alta. "Tanto meno di sconosciuti *totali*!"

"Non sono sconosciuti totali, Pa" dice Will, togliendosi gli auricolari e uscendo dal suo stato di sospensione. "Hanno un nome e una faccia."

(da Andrea De Carlo, *Leielui*, Bompiani, 2010)

b *Rileggi il testo e metti i disegni in ordine cronologico.*
Poi confrontati con un compagno.

1

2

3

4

c *Con l'aiuto del testo, associa le espressioni ai significati,*
come nell'esempio. Poi confrontati con un compagno.

vaga   senza fine
decifrare   per niente
affatto   piccole cuffie per ascoltare musica
appaiono   non ben chiara e precisa
crescente   (qui) riconoscere
infinita   all'improvviso si vedono
auricolari   che diventa sempre più intensa

Lingua

Per esprimere meraviglia in una situazione molto informale:
Chi **cavolo** sono questi? = Ma chi sono questi?
Come **cavolo** sono arrivati lì dentro? = Ma come sono arrivati lì dentro?

d *Che atteggiamento hanno i personaggi nei confronti dei social network?*
Quale atteggiamento è più simile al tuo? Perché? Parlane con alcuni compagni e
scopri se avete qualcosa in comune.

10 Parlando con te

a *Leggi la seguente frase, poi trova nel testo del punto 9 la frase*
equivalente e scrivila nella riga vuota. Che cosa corrisponde, nella
*frase originale, a **mentre si toglie... esce**?*

"Non sono sconosciuti totali, Pa" dice Will, **mentre si toglie** gli auricolari ed **esce**
dal suo stato di sospensione.

b *Giocate in coppia. Ognuno di voi scrive su un foglio 4 frasi che hanno i seguenti soggetti:*
Jenny, Will, Daniel Deserti, amico/a virtuale di Daniel Deserti. Ogni frase deve contenere un verbo
*preceduto da **mentre**. Poi scambiatevi i fogli e riformulate le frasi del compagno con il gerundio.*
Infine leggete a voce alta le frasi che avete scritto: qual è la più divertente o la più sorprendente?

Esempi:
A: Will segue la conversazione mentre ascolta musica.
B: Will segue la conversazione ascoltando musica.

A: Mentre parla con suo padre, Jenny manda sms e guarda la TV.
B: Parlando con suo padre, Jenny manda sms e guarda la TV.

Sai che esiste una "lingua degli SMS"? Vai su www.
alma.tv, nella rubrica *Grammatica caffè* e guarda il
video "X ki cmq si è r8 dell'accento".

11 Contatti reali o contatti virtuali?

Ho bisogno di un consiglio.

Dimmi. Sono qui per questo.

a *Dividetevi in due gruppi. Ogni gruppo segue le proprie istruzioni.*

Gruppo 1

Daniel Deserti ha fondato un movimento per boicottare i social network e convincere i giovani a crearsi reti sociali reali. Voi avete aderito alla sua iniziativa. Date un nome al vostro movimento e scrivete un "manifesto anti social network": elencate i motivi per cui gli amici reali sono preferibili agli amici virtuali.

Gruppo 2

Jenny e Will, divertiti e un po' innervositi dalla reazione del padre, hanno lanciato una campagna per convincere le persone come Daniel Deserti a frequentare i social network. Voi avete aderito all'iniziativa. Date un nome alla vostra campagna e scrivete un "manifesto pro social network": elencate i motivi per cui anche le amicizie virtuali sono valide.

b *Ogni "movimento" presenta il suo manifesto e la classe sceglie quello più convincente.*

13–18

Culture a confronto

Lo dico o non lo dico?

a *Leggi il seguente testo. Che cosa portava con sé questa persona quando è arrivata in Italia?*

A stare zitti o a parlare, si comunica sempre. L'urgenza che ha uno straniero appena sbarcato in un nuovo paese è quella di imparare la lingua, di parlare, di comunicare. Invece nessuno ti insegna quello che è opportuno non dire, ma nemmeno quelle parole "morbide" e mascherate che si dovrebbero utilizzare quando si affrontano argomenti "sensibili". Quando sono sbarcata a Malpensa avevo nella mia valigia un carico di tabù legati alle mie origini e non immaginavo una cosa: è possibile perdere alcuni tabù ed acquisirne altri.

(adattato da *www.yallaitalia.it*)

b *Ecco alcuni possibili tabù, cioè argomenti da evitare in una conversazione.*

cure psicologiche

morte

sentimenti

politica

problemi di salute

soldi

religione

sessualità

criminalità

c *Nel tuo paese esistono questi tabù o ce ne sono altri? E in quali situazioni? Parlane con alcuni compagni e insieme scrivete una "guida per la comunicazione corretta" nel tuo/suo paese.*

fra parenti | fra amici | fra colleghi | a un pranzo di lavoro ufficiale...

d *Ogni gruppo presenta la propria guida. Quale ti sembra la più completa?*

Grammatica e comunicazione

Il futuro per fare una supposizione → 5.8

☐ E quanti anni ha Mario?
● Mah, esattamente non si sa... Ne avrà più o meno 3.

Il congiuntivo presente con i verbi *sembrare*, *parere* e *volere* → 5.5.1.2

A me pare che non sia così grave.
(Non) ti sembra che quest'uso della tecnologia favorisca l'isolamento?
Quando non vuoi che ti disturbino, che cosa fai?

Il congiuntivo si utilizza dopo verbi che esprimono un parere personale o desideri.

Quello + il pronome relativo *che* → 2.1

Un amico dovrebbe dirmi quello che pensa.
(= le cose che pensa)

La particella pronominale *ci* → 2.3

☐ Siamo tutti in casa e comunichiamo via chat.
● Non ci credo! (= non credo a quello che dici)

Ci può sostituire frasi introdotte dalla preposizione *a*.

Il gerundio: valore temporale → 5.9.1

"Non sono sconosciuti totali, Pa" dice Will, togliendosi gli auricolari. = ... dice Will mentre si toglie gli auricolari.

Il gerundio presente con valore temporale può essere utilizzato quando la frase principale e quella secondaria hanno lo stesso soggetto e si svolgono contemporaneamente.

Il gerundio: la posizione dei pronomi → 5.9.2

"Non sono sconosciuti totali, Pa" dice Will, togliendosi gli auricolari.

I pronomi sono attaccati al gerundio.

fare una supposizione

☐ Suonano alla porta. Chi sarà?
● Boh, sarà il postino.

decrivere il carattere di una persona

Veronica era molto carina, socievole, gentile e affettuosa.
Un amico deve essere molto paziente e comprensivo.
Quando sono triste, lei sa come consolarmi.

esprimere un'opinione

A me non sembra che dipenda dall'età.

esprimere una volontà

Voglio che questi sconosciuti escano dalla mia vita.

esprimere sorpresa e incredulità

Ma va!?
Sul serio?!
Ma dai! Non ci credo!

esprimere sorpresa in modo informale

Chi cavolo sono questi?
Come cavolo sono arrivati lì dentro?

esprimere accordo

È vero, hai ragione.

esprimere disaccordo e perplessità

Mah, sarà...
Eh beh, ma è un'altra cosa...
No. Perché, scusa?
Ma no, perché?!

Portfolio

Ora sei in grado di...

	☺	☺	☹	📖
fare una supposizione	☐	☐	☐	2
descrivere il carattere di una persona	☐	☐	☐	4
esprimere un'opinione/impressione	☐	☐	☐	6
esprimere una volontà	☐	☐	☐	6
esprimere accordo/disaccordo	☐	☐	☐	7, 8, 9
discutere su diversi modi di comunicare	☐	☐	☐	5, 8, 9, 11
elencare aspetti positivi e negativi	☐	☐	☐	8, 11

L'arte della conversazione

a *Come ti comporti, nella tua lingua madre, se in una conversazione
qualcuno tocca un tema che per te è tabù? Parlane con un compagno.*

Cambio discorso in modo discreto. ☐   Dico apertamente che non ne voglio parlare. ☐
Mi arrabbio. ☐   Faccio finta di non aver sentito. ☐

b *Pensa ora alla seguente situazione: sei a una festa in Italia, ci sono molte persone e tu ne conosci solo
poche. Come puoi fare/Che cosa puoi dire per iniziare e sostenere una conversazione con le persone che
conosci poco o per niente? Parlane con un compagno e raccogliete insieme delle idee sui seguenti temi.
Poi confrontatevi con un'altra coppia.*

| iniziare la conversazione | concludere la conversazione | reagire a un argomento tabù |

c *Ora lavora con tutta la classe e simulate insieme la situazione della festa.
Girate per l'aula e "sperimentate" i seguenti casi.*

Alla festa incontrate una persona che
conoscete un po', ma che non vedevate
da molto tempo.

Alla festa vedete una persona che vi è
istintivamente simpatica: volete conoscerla.

Alla festa non conoscete proprio nessuno:
ci siete andati con un amico che adesso avete
perso di vista. Cercate di attaccare discorso
con qualcuno.

State conversando con qualcuno, quando
riconoscete un amico/un'amica. Volete
concludere la conversazione in corso per
andare dall'amico/a.

d *Come ti sei sentito nelle diverse situazioni? Quali hai affrontato con più facilità
e quali ti hanno dato dei problemi? Perché? Come puoi affrontare gli eventuali problemi?
Parlane con alcuni compagni.*

Ancora più chiaro 1

Un complesso residenziale per tutti i gusti

1 *Siete un gruppo di amici/conoscenti di età diversa e avete deciso di presentare una proposta per il concorso "Un complesso residenziale per tutti i gusti". Dovete progettare un complesso di abitazioni per famiglie o persone che vivono da sole. Dividetevi in gruppi di 3–4 persone.*

2 **a** *Pensate a diversi modelli familiari o forme di convivenza. Scegliete almeno 4 esempi.*

b *Decidete in quale zona vi piacerebbe costruire il complesso residenziale.*

In quale regione lo costruireste?
Preferireste una città grande, una città piccola, la campagna, la montagna, il mare, la pianura...

c *Che tipo di edifici costruireste?*

Esempio: appartamenti, case singole, case a schiera...

d *Quali spazi comuni progettereste?*

Esempio: biblioteca, giardini, palestra...

e *Come progettereste gli appartamenti o le case per rispondere alle esigenze delle varie tipologie di inquilini?*

Esempio: un appartamento con ____ camere per una famiglia di ____ persone al ____ piano con terrazza.

f *Potete usare come aiuto la pagina 54 del libro.*

3 *Presentate il vostro progetto alla classe.*

4 *Ora votate la proposta che preferite.*

Gioco

Si gioca in gruppi di 3 o 4 persone. Serve un dado per ogni gruppo e una pedina per ogni giocatore.

A turno i giocatori lanciano il dado e avanzano del numero di caselle indicato dal dado.

Se nella casella c'è una domanda, il giocatore A la completa e il giocatore B (alla sua sinistra) risponde. Se la domanda è corretta, il giocatore A può restare dov'è, se non è corretta, torna alla casella di partenza.

Se il giocatore B risponde correttamente, può rilanciare il dado. Se non risponde correttamente, tocca al giocatore successivo.

Se nella casella c'è un esercizio da svolgere, il giocatore deve completarlo; se c'è un'immagine, deve creare una frase appropriata: se non fa errori, può restare dov'è, altrimenti torna alla casella di partenza e il giocatore successivo lancia il dado.

Vince chi raggiunge per primo la casella «ARRIVO».

20

Quando si era bambini ....

19

Io sono bravo/brava .... E tu?

18

Tre nomi di corsi per persone con abilità manuale.

33

TORNA ALLA CASELLA 26 E STAI FERMO UN GIRO.

21

...... che cosa sei negato/a?

22

paziente ≠ ......
presente ≠ ......
fedele ≠ ......

34

Descrivi tuo nonno.

PARTENZA

1

abbia
....
....
abbiano

23

Hai mai frequentato un corso per ...... serve abilità manuale?

24

Una cosa che non vuoi che succeda.

25

a nord
......
......
......

2

Preferisci dipingere ...... o tinteggiare ...... ?

3

Tre problemi che si possono avere in aeroporto.

4

Credi che ...... giusto andare a vivere da soli quando si è molto giovani?

5

Sei ...... di cambiare una gomma?

17

sia ......
....
siate
......

16

PASSA ALLA
CASELLA NUMERO
18 E STAI FERMO
UN GIRO.

15

Che cosa fa
per te un
tuo amico
se sei ......?

14

La tua città
si trova in una
zona montuosa,
in ...... o ......?

13

Tre aggettivi
per definire
un amico.

32

Ero sul ......
Milano-Palermo.
Il mio ...... non è
arrivato! Mi può
aiutare?

31

Preferisci
comunicare con
gli amici faccia a
faccia, con ...... o
per ......?

30

voglio → voglia
faccio → ......
capisco → ......

12

Come
(orientarsi)
...... si ...... in
una città
nuova?

35

Tre nomi
di mezzi a
due ruote.

ARRIVO

29

...... dura il
corso di
italiano?

11

Io ......
ascoltando
la radio.
E tu?

26

A me sembra
che i social
network ....
E a te?

27

TORNA ALLA
CASELLA 22 E
STAI FERMO UN
GIRO.

28

Qual è per
te un obiettivo
raggiung ......?

10

Quale corso
ti ......
frequentare?

6

leggibile ≠ ......
bevibile ≠ ......
mangiabile ≠
......

7

Due persone
che erano
sposate e non
lo sono più.

8

Da ......
tempo usi
Internet?

9

TORNA
ALLA CASELLA
NUMERO 1
E STAI FERMO
UN GIRO.

Tipologie di convivenza

Localizzazione del complesso

Numero di case
o appartamenti

Tipologia

Spazi comuni

Obiettivo benessere

5

In questa lezione impari a:

- parlare di benessere

- chiedere informazioni su servizi offerti

- scegliere attività per il benessere

- descrivere uno sport

1 Per iniziare

Vuoi staccare dalla routine quotidiana. Dove vai?
Che cosa fai? Quali attività ti aiutano a ritrovare il
benessere fisico e il buonumore? Perché? Parlane con
alcuni compagni e scopri se avete qualcosa in comune.

dolce far niente

passeggiate (in spiaggia)

jogging

escursioni in montagna

cure di bellezza

partita di calcio con gli amici

a *Leggi l'articolo e poi parlane con un compagno.*
Quale soluzione antistress si consiglia? Perché?

Non ne potete più della routine lavoro-casa-lavoro? Non riuscite ad addormentarvi perché avete in testa gli impegni del giorno dopo? Combattete con il mal di schiena di chi passa otto ore al computer? È il momento di mollare tutto e prendervi una vacanza. Una vacanza alle terme. "Per rigenerarsi, un weekend in una spa funziona più di due settimane passate sotto il sole delle Maldive", assicura Giampaolo Perna, professore emerito di psichiatria all'Università di Maastricht (Olanda). "Bastano davvero un paio di giorni per rilassarsi: tra bagni nell'acqua calda e idromassaggi, le tensioni si scioglieranno". C'è solo l'imbarazzo della scelta: dal Trentino alla Sicilia, passando per Fiuggi e Bagno Vignoni, Castrocaro, Sirmione o Ischia, in Italia si contano 380 stabilimenti. Il relax è assicurato e la spesa è minore di un viaggio esotico. Ma perché le terme fanno tanto bene? La quiete che caratterizza le località e il microclima degli ambienti si aggiungono agli effetti dei trattamenti utili a rigenerare il corpo. Tra questi, i bagni e i fanghi, l'idromassaggio, le saune. È provato che il calore rilassa i muscoli e stimola la produzione di endorfine, i cosiddetti ormoni del benessere. Nei programmi in genere non mancano mai i massaggi, che stimolano la circolazione e sono il completamento ideale di fanghi e bagni.

(adattato da *Un weekend alle terme ti rigenera più delle Maldive*, OK salute e benessere)

LAVORARE CON IL LESSICO

b *Che cosa si può fare in una spa? Rileggi l'articolo*
e trova le definizioni che corrispondono ai disegni.

1 bagni nell'acqua calda

2 idromassaggio

3 fanghi

4 inalazioni

5 massaggi

6 trattamenti estetici

7 saune

8 visita medica

c *Lavora con un compagno. Insieme cercate sulla carta d'Italia le regioni in cui si trovano le località del testo **2a**. Quali di queste regioni conoscete? Secondo voi, a quale località corrisponde la foto di pagina 55?*

Fiuggi (Frosinone) | Bagno Vignoni (Siena)
Castrocaro (Forlì-Cesena) | Sirmione (Brescia) | Ischia (Napoli)

Carolina Alvarez Diez Gutierrez

3 **Stacchiamo la spina!**

a *Il signor Casati si è preso una breve vacanza. Dov'è andato? Che cosa vuole fare lì? Dove si trova in questo momento? Ascolta e poi parlane con un compagno.*

b *Ascolta il dialogo ancora una volta e segna le risposte giuste.*

Ische rilassarsi.

L'impiegata consiglia al signor Casati di fare

delle cure termali. ☒   delle passeggiate naturalistiche. ☐   delle gite nella regione. ☐

Il signor Casati

accetta subito il consiglio. ☒   rifiuta il consiglio. ☐   è indeciso. ☒

4 **Ma...**

a *Chiudi il libro e ascolta i mini dialoghi. Poi cerca di inserire le seguenti espressioni al posto giusto. Infine ascolta di nuovo e controlla.*

mi piacerebbe | Beh... non saprei... | Non saprei proprio | vorrei   *Convenzionale presente*

1 ○ Offriamo trattamenti di vario tipo...

▪ Ho capito. *Beh non saprei* . Io a dire il vero *vorrei* fare solo una vacanza...

2 ○ Magari *mi piacerebbe* vedere un po' i dintorni, ma poi...

▪ Sì, certo, capisco. Ma appunto per questo il centro benessere è l'ideale.

○ Dice? Sa, io non ho mai fatto cose di questo tipo. *Non saprei proprio* cosa scegliere.

b *Con quali delle espressioni che hai inserito al punto **a** si esprime incertezza? Con quali si esprime un desiderio?*

Incertezza: *Beh... non saprei, non saprei proprio*

Desiderio: *vorrei, mia piacerebbe*

Lingua
Dice?/Dici? = È/Sei proprio sicuro/a?

1–2

5 **Per il vostro benessere**

a *Il signor Casati va al centro benessere. Quali informazioni potrebbe chiedere? Quali domande potrebbe fargli l'impiegata? Lavora con un compagno. Insieme formulate alcune domande, come nell'esempio. Usate le espressioni del punto **2b** e, se volete, i seguenti verbi.*

bisogna | durare | offrire | esserci | costare | prenotare | pagare

Esempio: Che trattamenti offrite?

b *Ascolta il dialogo. Le informazioni che il signor Casati chiede e dà sono simili a quelle a cui avete pensato tu e il tuo compagno?*

c *Ascolta di nuovo e scegli le risposte giuste.*

Il signor Casati prenota

una visita medica. ☐   i fanghi. ☐

un massaggio terapeutico. ☐   un massaggio rilassante/antistress. ☒

un trattamento estetico per il viso. ☐   un trattamento estetico per il corpo. ☐

Paga

subito in contanti ☐   con la carta di credito ☐   quando salda il conto della camera ☒

e per il trattamento ha bisogno di

un costume da bagno. ☐   un accappatoio. ☒

una cuffia da bagno. ☐   un paio di ciabatte. ☐

6 Vieni con me?

Lavora con alcuni compagni. Ognuno scrive su un foglietto un'attività da fare durante il weekend. Poi piegate tutti i foglietti, mescolateli e metteteli sul banco. A turno, ognuno estrae un foglietto e propone a un compagno di svolgere insieme quell'attività. Il compagno accetta o rifiuta la proposta. Se volete, potete usare le espressioni che trovate qui sotto.

sono contento/curioso | l'ho già fatto | non fa per me | non saprei...

Esempio: ○ Maria, questo sabato facciamo un'escursione in montagna?

▤ No, guarda, non fa per me./Volentieri. Per me è una cosa nuova, sono curiosa.

7 Me lo consiglia?

a *Leggi le frasi e completa con i pronomi mancanti. Poi ascolta e verifica.*

Glieli | Me la | Glielo | ce lo

Potrei prenotare un massaggio?	Sì, è possibile. Le prenoto il massaggio? Sì, è possibile. _glielo_ prenoto?
Faccio solo questa prenotazione.	Mi può mettere la prenotazione sul conto della camera? _Me la_ può mettere sul conto della camera?
Non escluda i fanghi.	Le consiglio i fanghi anche se non ha disturbi. _glieli_ consiglio anche se non ha disturbi.
Se vuole fare altri trattamenti,	ci dica che vuole fare altri trattamenti. _ce lo_ dica.

b *Le forme che hai inserito sono composte da due pronomi.*
  A che cosa si riferiscono i singoli pronomi? Parlane con un compagno.

c *In coppia, provate a completare la tabella dei pronomi combinati.*

	lo	la	li	le
mi	me lo	me la	me li	me le
ti	te lo	te la	te li	te le
gli/le/Le	glielo/a	gliela	glieli	gliele
ci	ce lo	ce la	ce li	ce le
vi	ve lo	ve la	ve li	ve le
gli	glielo	gliela	glieli	gliele

> **Grammatica**
>
> **Attenzione!**
> **Glieli** consiglio./
> ***Non* glieli** consiglio.
> **Te lo** consiglio./
> ***Non* te lo** consiglio.

d *Adesso completa la regola.*

mi
ti
ci   diventano ___me___   e si scrivono   insieme all'altro pronome ☐
vi   ___te___   separati dall'altro pronome ☒
                   ___ce___
                   ___ve___

gli
le   diventano _____   e si scrivono   insieme all'altro pronome ☒
                                                 separati dall'altro pronome ☐

8 Il tris della spa

Gioca con un compagno. A turno, ognuno sceglie una casella e completa la frase/il dialogo con i pronomi combinati. Se la soluzione è corretta, il giocatore conquista la casella; altrimenti la casella resta libera. Per ogni dubbio consultate l'arbitro (l'insegnante). Vince chi per primo conquista tre caselle in orizzontale, in verticale o in diagonale.

○ Mi fissa la visita medica, per favore? ■ Certo, _gliela_ fisso subito.	○ Piero, mi hai prenotato i trattamenti per domani? ■ Sì, _me lo_ ho prenotati poco fa.	○ Dottore, devo fare le inalazioni? ■ Sì, _gliele_ consiglio sicuramente.
○ Non abbiamo le ciabatte per la piscina. _ce la_ dà Lei? ■ Sì, certo.	○ Le mie amiche vorrebbero fare un massaggio rilassante. ■ _Glielo_ prenoto per domani?	○ Mi passi l'accappatoio, per piacere? ■ _Te lo_ passo subito.
○ La sauna? Non _me la_ consiglio se hai la pressione così bassa.	■ Ci mostri le piscine termali, per favore? ○ Sì, _ce le_ mostro subito.	○ Allora, ha scelto i fanghi? ■ Sì. _me li_ prenoti, per favore!

4–7

9 Donare benessere

a *Lavora con tutta la classe. Dividetevi in due gruppi
(A ospiti e B impiegati) e seguite le rispettive istruzioni.*

A: Siete in vacanza all'Hotel Parco Smeraldo Terme di Ischia insieme a un gruppo di amici.
Uno/a di loro compie gli anni e perciò volete regalargli/le un trattamento o un pacchetto
benessere. Scegliete "il/la festeggiato/a" fra le persone elencate qui sotto e aggiungete,
se volete, qualche informazione. Poi pensate a quali trattamenti potrebbero essere adatti
e a quanti soldi vorreste spendere.

- Paolo fa un lavoro sedentario, non ama lo sport e ha spesso mal di schiena.
- Mirella insegna in un liceo, s'impegna molto per i "suoi" ragazzi e ha spesso mal di gola.
- Francesco fa un lavoro molto stressante, non riesce a "staccare" e soffre d'insonnia.
- Sara ama il suo lavoro, ma deve sempre lavorare molto e ogni tanto si concede una pausa.
  Ama il caldo e le cure di bellezza.

B: *Andate a pagina 130.*

b *Lavora ora con un compagno dell'altro gruppo e insieme fate il dialogo.*

A va al centro benessere, si informa e prenota.
B risponde alle richieste di A con l'aiuto delle informazioni preparate.

10 Piacere o faticaccia?

Per te "tenersi in forma" è un piacere o una faticaccia?
Segna le tue risposte e poi parlane con alcuni compagni.

Faccio sport: regolarmente. ☐   spesso. ☒   ogni tanto. ☐   praticamente mai. ☐

Faccio attività fisica perché   mi piace. ☐   per tenermi in forma. ☒

                                  per dovere. ☐   perché fa bene alla salute. ☐

Quando faccio attività fisica il momento più piacevole è

quando vedo i risultati. ☐   appena ho finito. ☒   mentre mi alleno. ☐

Quando vedo una persona che fa jogging penso:

domani lo faccio anch'io! ☐   bravo/a! ☒   ma perché lo fa? ☐

e 8

60

11 Che sport è?

a *Associa le seguenti attività sportive alle foto.*

l'arrampicata ☐ | il nuoto ☐ | il ciclismo ☐ | il golf ☐ | l'atletica ☐ | la ginnastica ☐
la pallacanestro ☐ | il tennis ☐ | la pallavolo ☐ | la corsa ☐ | il paracadutismo ☐
il canottaggio ☐ | lo sci ☐ | la pesca subacquea ☐

1

2

3

4

5

6

7

8

9

10

11

12

13

14

b *Lavora con un compagno. Descrivete come e dove si praticano gli sport del punto **a**.*
Avete 5 minuti di tempo per scrivere le frasi e potete usare gli elementi elencati qui sotto.
Poi leggete le frasi a un'altra coppia che deve indovinare il tipo di sport.

individuale | di squadra | si pratica... | ci vuole/ci vogliono

montagna | piscina | bicicletta | pista | pinne
palestra | aereo | racchetta | palla | pallina | campo
rete | maschera | paracadute | mazza | canoa | sci

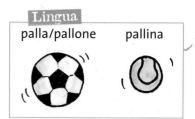

Esempio: ○ È uno sport individuale che si pratica all'aperto.

       ■ La corsa?

      ○ Giusto!/Sbagliato!

---

12 Il calcio storico fiorentino   LEGGERE

a *Leggi il testo e trova le seguenti informazioni. Poi confrontati con un compagno.*

Tipo di sport/gioco: calcio "storico" Fiorentino

Dove si pratica: campo di gioco rettangolare

Numero di partecipanti/giocatori: 54 giocatori

Durata della partita/gara: 50 minuti

Cosa si deve fare: nella rete degli   Fare caccia   al c   metterlo
     squadra

Cosa è permesso/non è permesso: è permesso tutto

Chi vince: la squadra che segna più cacce

Cosa fa l'arbitro: sta fuori campo e interviene per ristabilire l'ordine

Il calcio "storico" fiorentino, o calcio in costume, è uno
sport a squadre che si pratica in un campo di gioco rettangolare. Ogni partita si disputa fra due squadre di 27 giocatori ciascuna e dura cinquanta minuti. Bisogna portare il
pallone fino in fondo al campo e metterlo nella rete degli
avversari: questa è una "caccia", cioè un gol. Vince la
squadra che segna più cacce e per segnare si può usare
ogni mezzo: per questo il calcio storico fiorentino ricorda
molto il rugby e i calciatori, mentre giocano, litigano
spesso. C'è un arbitro che durante il gioco sta fuori campo
e interviene per ristabilire l'ordine in caso di risse.

b *Rileggi le seguenti frasi e completa la regola.*

I calciatori, **mentre** giocano, litigano spesso.
L'arbitro **durante** il gioco sta fuori campo.

Mentre si usa con   un verbo. ☒   un sostantivo. ☐

Durante si usa con   un verbo. ☐   un sostantivo. ☒

13 Sport... originali

*Lavora con un compagno. Avete 5 minuti per inventare un "nuovo sport"
con le sue regole. Qui sotto trovate alcune idee.
Formate poi gruppi di quattro o sei persone: quale coppia ha inventato
lo sport più originale ed è riuscita a descriverlo meglio?*

10–13

14 Benessere su misura

a *Lavora con alcuni compagni. Volete aprire un hotel benessere. Preparate alcune
domande sulle esigenze dei vostri compagni. Pensate a: trattamenti termali, sport e
altri esercizi fisici, attività rilassanti in generale, eccetera.
Poi intervistate alcuni compagni di altri gruppi e annotate le risposte.*

b *Torna a lavorare con il tuo gruppo. Sulla base delle informazioni raccolte
preparate un progetto per l'hotel benessere ideale per la vostra classe.
Pensate a: luogo (al mare, in montagna...), strutture, servizi, dintorni, eccetera.*

c *Ogni gruppo presenta il proprio progetto e la classe sceglie quello migliore.*

14–17

Rilassati con Alma.tv!
Vai su www.alma.tv nella rubrica *L'italiano con il cinema* e guarda un breve
film in italiano. Alla fine puoi fare anche gli esercizi on line per verificare la
comprensione. Cosa aspetti?

Culture a confronto

BAR SPORT

a *Leggi il testo e trova le parole corrispondenti alle seguenti immagini. Poi confrontati con un compagno.*

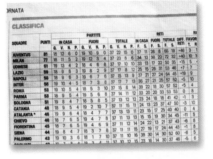

Calcio e conversazione

Un grande richiamo del bar Sport era il tabellone del totocalcio, su cui il barista-mosaicista componeva con le letterine di plastica i risultati del campionato. Sotto il tabellone si sostava a controllare con ansia le schedine. Dato che le letterine di plastica si staccavano e si perdevano facilmente, i risultati erano in una lingua misteriosa e incompleta. Ad esempio: Jueus – Itr 1 – 0, oppure Mln. – Fiorna 1 – 2*. Bisognava decifrare o chiedere spiegazioni. Adesso tutti entrano al bar e conoscono già risultati e classifiche, e spesso hanno già i gol registrati nel telefonino. È aumentata (in quantità ma non in qualità) anche la competenza. A un esperto degli anni 60 bastava sapere a memoria le formazioni di serie A. Nel duemila un tecnico** di media competenza deve conoscere nome e misure delle fidanzate dei calciatori famosi, e le formazioni di Mali, Corea del Sud ed Estonia. Ora come allora, non sa dov'è il Mali né la Corea né l'Estonia.

(da Stefano Benni, *Pane e Tempesta*, Giangiacomo Feltrinelli Editore Milano, 2009)

* Jueus - Itr 1 – 0, oppure Mln. - Fiorna 1 – b = Juventus – Inter 1 – 0, oppure Milan – Fiorentina 1 – 2
**tecnico = persona esperta in un certo settore, in questo caso il calcio

b *L'autore del testo descrive alcuni atteggiamenti degli appassionati di sport. Quali somiglianze e/o differenze trovate rispetto al tuo paese?*

c *Secondo te, quali sono gli sport più popolari in Italia dopo il calcio? E nel tuo paese?*

Grammatica e comunicazione

Il condizionale presente per esprimere incertezza → 5.10

- Quali trattamenti vuole fare?
- Beh... non saprei...

I pronomi combinati → 2.4

	+ lo	+ la	+ li	+ le
mi	me lo	me la	me li	me le
ti	te lo	te la	te li	te le
gli/le/Le	glielo	gliela	glieli	gliele
ci	ce lo	ce la	ce li	ce le
vi	ve lo	ve la	ve li	ve le
gli	glielo	gliela	glieli	gliele

- È possibile prenotare un massaggio?
- Sì, è possibile. Glielo prenoto?

- La sauna? Se avete la pressione bassa, non ve la consiglio.

Mentre e *durante* → 5.4, 6, 7

Mentre + verbo
I calciatori, mentre giocano, litigano spesso.

Durante + sostantivo
L'arbitro durante il gioco sta fuori campo.

invitare, accettare, rifiutare

- Maria, questo sabato facciamo un'escursione in montagna?

- No, guarda, non fa per me./Volentieri.

- Che ne dici di un weekend alle terme?

- Perché no? Per me è una cosa nuova, sono curioso./Mah, non saprei...

chiedere informazioni su trattamenti termali

- Lei vuole usufruire del nostro centro benessere?

- Sì. Che servizi ci sono? Ci sono le terme, vero?

ottenere informazioni su/prenotare trattamenti termali

Potrei prenotare un massaggio per oggi pomeriggio?

Mi può mettere la prenotazione sul conto della camera?

Quanto durano i fanghi? E quanto costano?

esprimere un dubbio

- Il centro benessere per Lei/te è l'ideale.

- Dice?/Dici?

chiedere informazioni sui luoghi da visitare

Magari mi piacerebbe vedere un po' i dintorni.

Senta, e per visitare i dintorni, invece?

parlare di attività sportive

Faccio attività fisica per tenermi in forma.

Faccio sport regolarmente.

Non faccio mai sport.

descrivere uno sport

Il tennis è uno sport individuale che si pratica con una racchetta.

Il calcio è uno sport di squadra che si gioca con un pallone.

Una partita di calcio dura 90 minuti.

Portfolio

	😃	🙂	🙁	📘
parlare di benessere	☐	☐	☐	1, 2, 14
esprimere incertezza	☐	☐	☐	4, 6
informarti su servizi offerti	☐	☐	☐	5, 9
scegliere attività per il benessere	☐	☐	☐	9
descrivere uno sport	☐	☐	☐	11, 12

Gestire una situazione comunicativa nuova

*Le situazioni comunicative in cui ci troviamo nella vita sono tante e di vario tipo,
ma è possibile affrontarle senza stress. Anche in una lingua straniera.
Come possiamo imparare?*

a *Pensa alle attività **5a** e **9** di questa lezione.
Come hai lavorato? Parlane con un compagno.*

b *Ora metti in pratica. Come affronteresti la seguente situazione?
Lavora con un compagno: preparatevi insieme, poi stabilite i ruoli
(chi chiede e chi dà informazioni) e fate il dialogo. Infine scambiatevi i ruoli e riprovate.*

Siete in vacanza in Italia. Scegliete una di queste situazioni:

Volete frequentare un corso di golf/catamarano/vela/windsurf (o
un altro corso a vostra scelta).

Volete prenotare una cabina/un posto ponte sul traghetto per...

Chiedete informazioni e prenotate.

Lavoro e società

In questa lezione impari a:

- parlare di impegno sociale
- parlare di animali
- esprimere una speranza
- parlare di lavoro
- parlare di servizi sociali

1 **Per iniziare**

a *Guarda la foto. Dove può lavorare un pagliaccio?
E che attività può svolgere? Fai una lista, come nell'esempio e poi
gioca con un compagno. Vince chi ha la lista più lunga.*

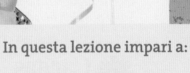

lavora al circo/in un circo

b *Adesso ascolterai uno spot trasmesso dalla radio. Che cosa fanno le persone che parlano? Che cosa pubblicizza lo spot? Parlane con alcuni compagni.*

c *Guarda e leggi il manifesto collegato allo spot che hai ascoltato. Conferma le tue ipotesi? Conosci qualcuno che svolge un'attività come quella del pagliaccio raffigurato nel manifesto? O sai se nel tuo paese esistono iniziative simili? Quali? Parlane con alcuni compagni.*

Il tuo aiuto è il dono più bello.

In Italia milioni di volontari ogni giorno offrono tempo, energie e affetto a chi ha bisogno e dove è necessario e con il loro impegno insieme fanno la differenza nella vita di milioni di persone. Nell'Anno europeo del volontariato aiutali anche tu a regalare un sorriso. Cerca l'organizzazione di volontariato più vicina e offri il tuo dono.

Facciamo insieme la differenza!

Anno europeo del volontariato 2011
Aiuta l'Italia che aiuta
Campagna per il dono e la promozione del volontariato
www.lavoro.gov.it

---

2 Che cosa fare?

a *Guarda le immagini: secondo te, di che cosa si occupano queste organizzazioni? Parlane con un compagno e insieme rispondete alle domande. Sono possibili diverse soluzioni.*

1

2
Lega italiana
protezione ucelli

3

4

Quale delle seguenti organizzazioni...
... si occupa dei malati? _____
... si occupa dei problemi dei bambini? _____
... fornisce assistenza medica in casi di emergenza? _____

... protegge gli animali? _____
... aiuta i poveri? _____
... opera in tutto il mondo? _____

b *Quali altre attività di volontariato si possono svolgere? Parlane con alcuni compagni e insieme raccogliete alcune idee.*

3 Proteggimi!

a *Quale associazione ha sostenuto Arianna? E come?*
Parlane con un compagno.

| **Adozione a distanza** |
| adotto a distanza un trovatello o un ex-combattente |

| **Donazioni** |
| tanti modi per aiutare Enpa |

| **Diventa Socio** |
| iscriviti e diventa Socio Enpa |

| **Enpashop** |
| i prodotti Enpa per donare con amore |

| **Bomboniere** |
| bomboniere e biglietti augurali Enpa |

| **Lasciti** |
| l'eredità in favore degli animali |

(da *comunicazionesviluppoenpa.org*)

"L'empatia per il più piccolo degli animali è una delle più nobili virtù che un uomo può ricevere in dono".
Charles Darwin

In occasione della mia Prima Comunione ho devoluto alla Protezione Animali la quota destinata alle bomboniere. Un gesto di ringraziamento verso chi, con i suoi espressivi silenzi, ci insegna il vero valore dell'amore, dell'amicizia, della vita.

Arianna

b *Sul sito Internet di un'associazione animalista vedi i seguenti trovatelli.*
Associa ogni foto al tipo di animale.

cane ☐ | gatto ☐ | cavallo ☐ | mulo ☐ | uccello ☐ | agnello ☐
capra ☐ | coniglio ☐ | criceto ☐ | tartaruga ☐

1 2 3 4 5 6 7 8 9 10

c *Quale trovatello del punto **b** adotteresti a distanza?*
Quale ti porteresti a casa? Hai già degli animali domestici o ne hai avuti in passato? Parlane con un compagno.

1–2

4 · I verbi della solidarietà

a Completa ogni frase con uno dei seguenti verbi,
come nell'esempio. Sono possibili più soluzioni.

aiutare | ~~devolvere~~ | donare | ~~occuparsi~~ | offrire | ~~ringraziare~~

In Italia milioni di volontari ogni giorno _____ offrono _____ tempo, energie e affetto a chi ha bisogno.

Aiuta i volontari a _____ donare _____ un sorriso.

L'Enpa _____ si occupa _____ degli animali meno fortunati.

Arianna ha scelto di _ devolvere _ una somma di denaro all'Enpa.

Gli animali _____ ringraziano _____ Arianna per la sua donazione.

Per _____ aiutare _____ l'Enpa basta una piccola donazione.

b Rileggi le frasi del punto a: quali verbi si usano con quali preposizioni?
Quali si usano senza preposizioni? Poi confrontati con un compagno.

_ offrire _ / _ donare _ _ devolvere _ qualcosa **a** qualcuno

_ ringraziare _ qualcuno **per** qualcosa _ aiutare _ qualcuno

_ occuparsi _ **di** qualcosa o **di** qualcuno

e 3–4

5 · La "mappa" dell'impegno

a Lavora con un compagno. Formulate quattro domande, come nell'esempio usando
almeno tre verbi diversi fra quelli del punto 4b. Poi intervistate alcuni compagni per
scoprire se e in che modo sono impegnati in campo sociale.

Esempio: Hai mai offerto il tuo aiuto a un'iniziativa di volontariato agli anziani?
No, perché non ho tempo./No, ma faccio.../Sì, lo faccio regolarmente presso...

b Formate dei gruppi. Mettete insieme le informazioni raccolte
e preparate una mappa del volontariato della classe.

6 · Professioni e società

a Secondo te, quali figure professionali possono essere utili in un'attività di volontariato?
Perché? Parlane con alcuni compagni. Se volete potete usare le espressioni elencate qui sotto.

artigiano | commerciante | giardiniere | impiegato di banca
infermiera/infermiere | ingegnere | maestra d'asilo | musicista | veterinario

CD ▸ 20

b Ascolta le interviste. Chi svolge la stessa attività nella sua
professione e anche come volontario? E in quale settore la svolge?

CD ▸ 20

c Chi è soddisfatto della sua professione? Chi invece ha cambiato o desidera
cambiare lavoro? Perché? Ascolta di nuovo.

Maurizio: bistro pro vita privati pasti artigianali ambiente piccolo molto imp

Sabrina: figlio colleghi ✓ monotono creativo p negozio piccolo

Martina: passioni abile manuale
abilità

d *Ascolta un'altra volta e segna le risposte giuste.*

Aspetti negativi e aspetti positivi citati:

stipendio basso	☐	stipendio adeguato	☐
poco spazio per la vita privata	☒	lavorare in proprio	☒
orario di lavoro troppo lungo	☒	orario di lavoro adeguato	☒
cattivi rapporti con i colleghi/con il capo	☐	contatto con il pubblico	☒
attività monotona	☒	attività creativa	☒
altro: _____		altro: _____	

Requisiti professionali   LAVORARE CON IL LESSICO

a *Martina cita alcune capacità necessarie per svolgere la sua professione. Quali? Ascolta e segnale.*

pazienza ☒	abilità manuale ☒	determinazione ☐
doti comunicative ☐	flessibilità ☒	resistenza fisica ☒
dinamismo ☒	capacità di lavorare in gruppo ☐	qualità dirigenziali ☐

b *Prova ad abbinare i seguenti aggettivi alle abilità elencate al punto 7a, come negli esempi. Vince chi per primo trova tutte le soluzioni giuste.*

paziente	→ *pazienza*	resistente	→ *resistenza*
capace	→ *capacità*	abile	→ *abilità*
determinato	→ *determinazione*	dinamico	→ *dinamicità*
flessibile	→ *flessibilità*	comunicativo	→ *doti comunicative*

                                                          PARLARE

c *Tu potresti svolgere la professione di Martina? Ti piacerebbe? Perché sì o perché no? Parlane con un compagno.*

Speriamo...   205 5,6 SCOPRIRE LA GRAMMATICA

a *Leggi le seguenti frasi, tratte dalle interviste. In tutte le frasi compare il verbo **sperare**, ma 2 volte con **che** + congiuntivo e 2 volte con **di** + infinito: secondo te, perché? Parlane con un compagno e completa la regola.*

Ho 42 anni e **spero che** questa nuova vita **sia** un periodo di grandi soddisfazioni.
Spero che le energie **non** mi **abbandonino**.
Io **spero di poter** lavorare un po' meno, in futuro.
Spero proprio **di realizzare** questo sogno, prima o poi.

	è uguale	è diverso
sperare che + congiuntivo si usa quando nelle due parti della frase il soggetto	☐	☒
sperare di + infinito si usa quando nelle due parti della frase il soggetto	☒	☐

b *Che cosa speri di fare o che cosa speri che succeda durante le prossime vacanze?*
Completa le frasi e scrivile su dei foglietti. Poi lavora con alcuni compagni. Formate dei gruppi, mettete i foglietti sul banco e mescolateli. A turno, ognuno estrae un foglietto, legge la frase e tutti cercano di indovinare chi l'ha scritta. Vince chi indovina di più.

Spero che _____

Spero di _____

9 **La mia attività**

Lavora con un compagno. Formulate alcune domande riguardo al lavoro, come nell'esempio.
Poi intervista i tuoi compagni e trova quello con cui hai più cose in comune.

Esempio: Com'è/era il rapporto con i tuoi colleghi?
            Devi/Dovevi fare gli straordinari?

> **Lingua**
> **straordinari** = lavoro fatto oltre l'orario normale

10 **Welfare fatto in casa**

a *Secondo te, cos'è il "welfare fatto in casa"?*
Leggi l'articolo e poi parlane con un compagno.

MILANO – Lo chiamano welfare aziendale. Al posto di più soldi in busta paga, ai dipendenti il datore di lavoro concede servizi. Come l'asilo nido interno. Oppure versa contributi per le spese sanitarie o per i corsi di lingue dei figli. E c'è chi è arrivato, come Barilla, anche a coprire i costi di un'assicurazione in casi di morte o malattia grave del lavoratore.

Un'altra novità arriva dal contratto di Luxottica ed è il lavoro condiviso. Secondo l'accordo che sta per entrare in vigore, il coniuge o i figli potranno prendere il posto del familiare/dipendente. Per esempio, in caso di malattia che possa durare a lungo.

Sempre Luxottica propone la banca ore destinata alla paternità/maternità: dal momento in cui il lavoratore lo annuncia all'azienda, ha tre anni di tempo per accumulare parte degli straordinari e dei giorni di permesso e ferie per usufruirne dopo la nascita del figlio. Il meccanismo della banca può funzionare anche per chi mette da parte ore per la preparazione di esami universitari.

Una modalità che si sta sempre più diffondendo nelle aziende e nelle fabbriche italiane. Anche se il fenomeno riguarda, nella stragrande maggioranza dei casi, i grandi gruppi. Molto meno le piccole e medie imprese.

(www.repubblica.it/economia)

b *Quali settori riguardano i servizi innovativi citati?*
Rileggi l'articolo, segna le risposte giuste e poi confrontati con un compagno.

assistenza sanitaria ☒   servizi per la famiglia ☒

sostegno per lo studio ☒   aiuti finanziari ☐

> **Grammatica**
> **sta per** entrare in vigore = entrerà in vigore tra poco
> **sta entrando** in vigore = entra in vigore in questo momento

11 Il mondo del lavoro

a *Associa le espressioni ai significati, come nell'esempio.*

datore di lavoro — documento che regola il pagamento delle spese, per esempio per malattia

dipendente — giorni di vacanza per chi lavora

contributi — soldi destinati a spese per il welfare

assicurazione — persona che non lavora in proprio

contratto — persona che dà lavoro

ferie — documento che regola i rapporti di lavoro

b *Senza guardare il testo, associa i verbi alle espressioni.*
Poi leggi di nuovo il testo del punto 10 e controlla la soluzione.

_____ servizi

_____ contributi

_____ i costi

_____ straordinari

_____ da parte ore

concedere

coprire

accumulare

mettere   versare

c *Quali dei servizi citati nell'articolo potrebbero essere interessanti per te? Perché? Ne conosci altri? Parlane con alcuni compagni.*

12 Consiglio d'azienda

L'azienda in cui lavori vuole offrire ai suoi dipendenti dei servizi innovativi e ha istituito dei gruppi di lavoro incaricati di formulare delle proposte.

a *Intervista alcuni compagni (diversi da quelli con cui hai parlato nell'attività 11c) e scopri quali servizi sarebbero utili per loro.*

b *Formate dei gruppi e mettete insieme le informazioni che avete raccolto. Sulla base di queste informazioni ideate almeno un'iniziativa di welfare aziendale innovativo.*

c *Ogni gruppo presenta la sua proposta e la classe sceglie la più innovativa e sensata.*

Culture a confronto

Il senso del tempo

a *Guarda le vignette. Che differenza c'è fra le due situazioni? Parlane con un compagno.*

b *Rispondi alle seguenti domande e poi parlane con un compagno.*

In quali delle seguenti situazioni è accettabile arrivare in ritardo? Quanto ritardo è tollerato?

	Ritardo tollerabile?		Se sì, quanti minuti?	
	per me	nel mio paese	per me	nel mio paese
un appuntamento con un amico				
un appuntamento con un cliente				
una riunione di lavoro				
una festa				

c *E com'è in Italia, in base alla tua esperienza e/o alle tue conoscenze? Parlane con alcuni compagni e poi con tutta la classe.*

Grammatica e comunicazione

L'uso dei verbi *aiutare, ringraziare, donare, devolvere, offrire, occuparsi* → 5.1, vedi tabella in terza di copertina

Aiutiamo i volontari *a* svolgere la loro attività!	aiutare qualcuno a fare qualcosa
L'Enpa **ringrazia Arianna** *per* la sua donazione.	ringraziare qualcuno per qualcosa
Arianna ha **devoluto/donato una somma** *all'*Enpa.	devolvere/donare qualcosa a qualcuno
I volontari **offrono assistenza** *agli* anziani.	offrire qualcosa a qualcuno
L'Enpa **si occupa** *degli* animali meno fortunati.	occuparsi di qualcosa/qualcuno

Il verbo *sperare*: l'uso → 5.6

Sperare di + infinito
Io spero di poter lavorare un po' meno, in futuro.
Spero proprio di realizzare questo sogno, prima o poi.

Sperare di + infinito si usa quando il soggetto della frase principale e quello della frase secondaria è lo stesso.

Sperare che + congiuntivo
Spero che la mia nuova vita sia un periodo di grandi soddisfazioni.
Spero che le energie non mi abbandonino.

Sperare che + congiuntivo si usa quando il soggetto della frase principale e quello della frase secondaria sono differenti.

Stare per + infinito → 5.7

Il contratto sta per entrare in vigore.
Il contratto stava per entrare in vigore.

Stare per + infinito esprime un'azione imminente, molto vicina nel futuro.

parlare di attività di volontariato

Hai mai offerto il tuo aiuto ad un'iniziativa di volontariato?

No, perché non ho tempo./No, ma faccio.../Sì, lo faccio regolarmente presso...

parlare di animali (domestici)

Vorrei adottare un trovatello, per esempio un cane.

Mi piacerebbe avere un cavallo.

Da bambina/o avevo due gatti.

parlare del proprio lavoro

(Non) ho un orario fisso.

(Non) sono soddisfatto del mio lavoro.

(Non) vado d'accordo con i miei colleghi.

(Non) mi trovo bene con il mio capo.

(Non) devo fare gli straordinari.

descrivere i requisiti richiesti per alcune professioni

Per fare il veterinario bisogna avere pazienza con gli animali.

Per fare l'artigiano ci vuole abilità manuale.

La mia professione richiede flessibilità.

Il mio lavoro è molto dinamico.

parlare di welfare aziendale

Il datore di lavoro versa contributi per le spese sanitarie.

L'azienda concede ai dipendenti dei servizi.

Si possono mettere da parte delle ore.

Il lavoratore accumula straordinari.

La ditta copre i costi di un'assicurazione.

'ALMA.tv

Vai su www.alma.tv nella rubrica *Linguaquiz*.
e mettiti alla prova con i videoquiz a tempo!

Portfolio

	😄	🙂	☹	📘
parlare di attività di volontariato	☐	☐	☐	1, 2, 5
parlare di animali	☐	☐	☐	3
esprimere una speranza	☐	☐	☐	8
parlare della tua attività/professione	☐	☐	☐	9
descrivere gli aspetti positivi e negativi di una professione	☐	☐	☐	6, 7
indicare alcuni requisiti richiesti per una professione	☐	☐	☐	7
indicare aspetti importanti per te nel lavoro	☐	☐	☐	11

Parole solidali

*In questa lezione hai imparato diverse combinazioni di verbo + sostantivo oppure verbo + preposizione + sostantivo, per esempio **coprire i costi** e **occuparsi degli animali**. Queste combinazioni non sono casuali: un verbo si può combinare con certi sostantivi e con altri no. Come si possono memorizzare le combinazioni giuste?*

a *Associa i seguenti sostantivi ai verbi che vedi nelle case, come nell'esempio. Sono possibili più soluzioni. Poi confrontati con un compagno e insieme cercate di trovare ancora un sostantivo per ogni verbo.*

tempo | energia | affetto | una somma (di denaro) | eredità
bambini | anziani | malati | poveri | aiuto | ~~animali~~

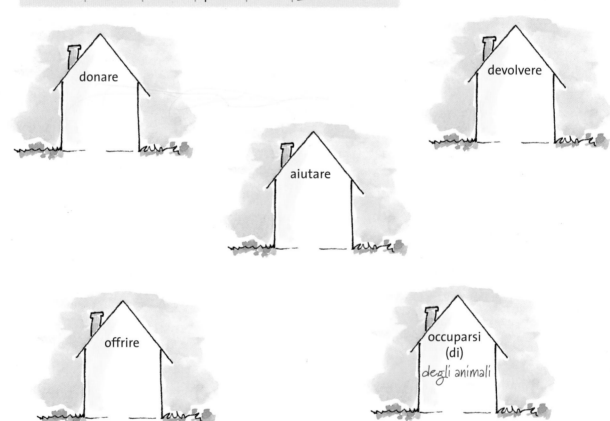

b *Cosa si può fare ancora per memorizzare queste parole "solidali"? Parlane con alcuni compagni e insieme raccogliete delle idee.*

Fai la tua parte

7

Valle dei Tempi

In questa lezione impari a:

- parlare di beni culturali e naturalistici
- fare ipotesi
- esprimere una norma sociale
- parlare di stili di vita e consumi
- esprimere preoccupazione

1 Per iniziare

a *Guarda la foto e leggi lo slogan pubblicitario qui sotto. Secondo te, che cosa significa "adotta l'Italia"? E chi o che cosa può essere il Fai, che ha lanciato quest'invito? Parlane con alcuni compagni.*

**FAI LA TUA PARTE
ADOTTA L'ITALIA INSIEME AL FAI**

b *Leggi ora come il Fai presenta se stesso. Hai indovinato?*
Conosci istituzioni o iniziative analoghe nel tuo paese?
Quali? Parlane con un compagno.

Chi è il FAI

Promuovere in concreto una cultura di rispetto della natura, dell'arte, della storia e delle tradizioni d'Italia e tutelare un patrimonio che è parte fondamentale delle nostre radici e della nostra identità. È questa la missione del FAI – Fondo Ambiente Italiano, Fondazione nazionale senza scopo di lucro che dal 1975 ha salvato, restaurato e aperto al pubblico importanti testimonianze del patrimonio artistico e naturalistico italiano.

Cosa facciamo

"La Repubblica tutela il paesaggio e il patrimonio storico e artistico della Nazione"
art. 9 Costituzione Italiana

Da oltre 35 anni noi del FAI insieme a tutti coloro che ci sostengono – cittadini privati, Istituzioni attente e aziende illuminate – operiamo per dare concretezza a questo articolo. La nostra azione quotidiana ha lo scopo di proteggere per te e per i tuoi figli un patrimonio unico al mondo che appartiene a ciascuno di noi.

(da *www.fondoambiente.it*)

c *Associa le espressioni (in verde) ai sinonimi (in giallo).*

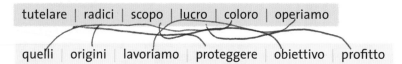

tutelare | radici | scopo | lucro | coloro | operiamo

quelli | origini | lavoriamo | proteggere | obiettivo | profitto

2 **Adotta l'Italia**

a *Come si può "adottare" l'Italia? Leggi rapidamente i testi (a pagina 78-79) e verifica le tue ipotesi del punto **1a**. Poi confrontati con un compagno.*

FAI FONDO Ambiente Italiano
FAI LA TUA PARTE

Sei invitato a far parte di un grande progetto. Oggi il tuo contributo può aiutare a trasformare in realtà il sogno di salvare il nostro patrimonio paesaggistico e culturale. Se adotti una stanza, un ulivo o anche solo una farfalla, il tuo nome rimarrà indissolubilmente legato ad essi. Se fai la tua parte diventerai tu stesso parte di quel grande tesoro chiamato Italia.

Adotta un BENE	Adotta un RESTAURO	Adotta una STANZA
Proteggi un BENE prezioso che già ti appartiene.	*Lotta contro il tempo per dei capolavori senza tempo.*	*Lega il tuo nome a dei luoghi che non hanno bisogno di presentazione.*
Sono luoghi che hanno ispirato poesie, dipinti, grandi romanzi. Che raccontano la storia del nostro paese. Sono luoghi già presenti nel tuo cuore. Adesso puoi prendertene cura.	Ogni oggetto antico racconta una storia. Adottare un restauro significa far sì che continui a raccontarla. Da oggi questa storia parlerà anche di te.	Saloni, biblioteche, camere e verande. Prendendotene cura il tuo nome verrà inserito in una speciale targa che sarà esposta nella stanza adottata. Far rivivere un luogo per vivere in eterno.
€ 15/mese	da € 1.500	da € 10.000

banca

Adotta una PANCHINA o un ALBERO	Adotta un ULIVO	Adotta una PIETRA
Il tuo gesto indelebile a favore della natura.	*Entra a far parte di un'opera d'arte che stupirà il mondo.*	*Le tue iniziali scolpite per sempre nella pietra.*
Un albero o una panchina con il tuo nome saranno per sempre la testimonianza dell'impegno preso nei confronti della natura.	Il tuo nome fiorirà per sempre nel Bosco di San Francesco, nell'opera di Land Art di Michelangelo Pistoletto.	Aiutaci a restaurare Villa dei Vescovi. Le tue iniziali incise sulla pietra adottata saranno una testimonianza del bello che c'è in Italia.
€ 500	€ 1.000	€ 200

(da *www.failatuaparte.it*)

SCOPRIRE LA GRAMMATICA

b *Le seguenti frasi, tratte dal sito Internet del Fai, esprimono delle ipotesi. Completa le prime due con i verbi che trovi nel testo del punto **a** (pagina 78, prima colonna a sinistra). Poi esamina tutte e quattro le frasi e scrivi accanto ad ognuna se si riferisce al presente (P) o al futuro (F). Infine rispondi alla domanda e confrontati con un compagno.*

pg. 208

Secondo te, queste ipotesi si possono realizzare o no?

1 Se ___adotti___ una stanza, un ulivo o anche solo una farfalla, il tuo nome ___rimarrà___ indissolubilmente legato ad essi.

2 Se ___fai___ la tua parte, ___diventerai___ tu stesso parte di quel grande tesoro chiamato Italia.

3 Se ti ***piace*** passeggiare nei giardini italiani, ***puoi*** adottare un albero o una panchina.

4 Se ***adotterai*** una pietra, essa ***riporterà*** incise le tue iniziali.

> **Lingua**
> Nella lingua scritta:
> esso → questo oggetto
> essa → questa cosa

c *Come sono formulate le ipotesi del punto **b**? Completa la regola.*

Se + indicativo ___presente___ , indicativo ___futuro___ . (frasi 1 e 2)

Se + indicativo ___presente___ , indicativo ___presente___ . (frase 3)

Se + indicativo ___futuro___ , indicativo ___futuro___ . (frase 4)

3 Se fai, ricevi

GIOCO

Lavora con alcuni compagni. Giocate in gruppo e formulate delle ipotesi a catena. Ognuno deve riprendere la frase pronunciata dal compagno precedente, come nell'esempio. Chi sbaglia ricomincia daccapo.

Esempio: A: Se mi danno le ferie...
B: Se mi danno le ferie, andrò in Sicilia.
C: Se andrai in Sicilia, potrai visitare la Valle dei Templi.

1–3

> **'ALMA.tv** ▶
> Se vai su www.alma.tv... puoi scoprire tanti video, film, esercizi, test, giochi per esercitarti e conoscere la cultura italiana!

79

4 Adottiamo l'Italia anche noi!

Progettate un'adozione di classe.

a *Lavora con alcuni compagni. Quale "pezzo" d'Italia vi piacerebbe adottare? Preparate una breve presentazione in cui spiegate che cosa volete adottare, perché ed eventualmente quanti soldi volete investire.*

b *Ogni gruppo presenta la propria proposta di adozione e la classe vota la più interessante.*

5 Il galateo dell'ecoturista

a *Associa i disegni alle espressioni.*

abbandonare i rifiuti ☐ | camminare sui sentieri ☐ | accendere fuochi ☐ | campeggiare ☐
portare cani al guinzaglio ☐ | usare mezzi a motore ☐ | raccogliere fiori ☐
disturbare gli animali selvatici ☐ | osservare e fotografare ☐ | cacciare ☐ | pescare ☐

b *Secondo te, come bisogna comportarsi in un'area protetta? Guarda i disegni e discuti con un compagno: che cosa è permesso e che cosa è vietato? Che cosa è permesso solo in zone autorizzate? Quali regole aggiungeresti?*

Esempi: In un'area protetta è permesso/consentito camminare sui sentieri.
          È vietato/proibito camminare fuori dai sentieri.

6 **Vivere "verde"**

▶ 22
a *Ascolta la conversazione fra Raimondo e Teresa.*
Di che cosa stanno parlando? Parlane con un compagno.

▶ 22
b *Ascolta di nuovo il dialogo e rispondi alle domande.*
In un caso sono possibili più soluzioni.

Che cosa vuole fare Teresa?   Comprare ☒   Costruire ☒   Vendere ☐   una casa.

Che cosa ha fatto Raimondo? Ha comprato ☐ Ha costruito ☒ Ha venduto ☐ una casa.

Che cosa caratterizza la casa di cui parla Raimondo?

Si trova   in campagna. ☐   in città. ☒   in montagna. ☐   al mare. ☐

               È molto antica. ☐   È stata ristrutturata. ☐   Consuma poca energia. ☒

               È molto economica. ☐

c *Come ti immagini la casa di cui parla Raimondo?*
Parlane con un compagno.

Secondo voi...

... la casa è fatta   di cemento. ☐   di mattoni. ☐   di pietra. ☐   di legno. ☒

... è riscaldata   a gasolio. ☐   a metano. ☒   con energia geotermica. ☒

                    con la stufa. ☐   con pannelli solari. ☒

... la casa   non ha finestre. ☐   ha finestre orientate a sud. ☒

              ha i doppi vetri. ☐   ha i tripli vetri. ☒

cemento   mattoni   pietra

legno   stufa   pannelli solari

▶ 23
d *Ora ascolta e verifica. Hai indovinato?*

▶ 23
e *Ascolta ancora una volta. Che cosa devono fare o non fare le persone*
che abitano in questa casa?

7 **Ho un po' paura...**

a *Rileggi le seguenti frasi tratte dalla conversazione.*
Quale modo verbale è usato? Perché? Parlane con un compagno.

Ho paura che ci sia troppa burocrazia o che magari
    nascano problemi tecnici...

Bisogna che vi informiate bene.

È assolutamente necessario che le porte e le finestre restino chiuse.

> **Grammatica**
>
> È necessario **chiudere** le finestre.
> È necessario **che** le finestre
> **restino** chiuse.

GIOCO

b *Lavora con un compagno. Giocate con due pedine. Decidete chi comincia*
(per esempio tirando un dado). Poi, a turno, ognuno avanza di una casella e trasforma la
frase che trova sul piano di gioco come negli esempi. Se la frase è corretta, il giocatore
guadagna un punto. Vince chi ha più punti.

Esempi: informarsi bene → Bisogna che vi informiate bene.
            chiudere le porte → È necessario che le porte restino chiuse.

→ ARRIVO   → PARTENZA

non riscaldare molto

la casa consumare poca energia

conoscere i principi della bioedilizia

mettere i pannelli solari

rivolgersi alle persone giuste

la casa avere i tripli vetri

non arieggiare

imparare a vivere in questa casa

fare attenzione all'isolamento

risparmiare energia

e   5–7

8 Uno stile di vita ecocompatibile

a *Che cosa si può fare nella vita quotidiana per risparmiare energia e,
in generale, per tutelare l'ambiente? Che cosa fai tu personalmente?
Parlane con alcuni compagni e insieme fate un elenco di cose da fare e cose da evitare.
Se volete, aiutatevi con i manifesti.*

Esempi: Bisogna fare la raccolta differenziata./È necessario usare lampadine a basso consumo.

(da www.gioialegambiente.webnode.it)

b *Scegliete ora uno dei punti elencati e ideate un manifesto pubblicitario.*

9 La nuova città

a *Lavora con un compagno. Secondo voi, quali vantaggi e quali svantaggi ha la
vita in città rispetto alla vita in campagna? Parlatene insieme e poi confrontatevi
con un'altra coppia.*

b *Leggi ora l'inizio del seguente articolo. Cita anche aspetti da te elencati
al punto **a**? E secondo te, la vita in città è descritta in modo positivo o negativo?
Confronta la tua impressione con quella di un compagno.*

Secondo le Nazioni Unite, nel 2050 la Terra sarà abitata da 9 miliardi di persone. Di questi, 6 abiteranno in città: e 2 nati su 3 nei prossimi 30 anni si troveranno ad affrontare traffico, scarsità di verde, gestione dei rifiuti, rifornimento dell'energia. Problemi che oggi rendono la vita in città meno attraente di quella nei piccoli centri urbani... almeno dal punto di vista ambientale. Ma ci sono anche i vantaggi: istruzione, strutture sanitarie, impianti sportivi, centri di aggregazione culturale, sport e grandi manifestazioni trovano spazio, di norma, soltanto nei grandi centri. Ma allora, meglio vivere in campagna o no? Alcuni studi stanno cambiando l'immagine della città: non più innaturali conglomerati umani, ma realtà vive, produttive di ingegno e perfino... più verdi del previsto.

c *Leggi ora altri due paragrafi dell'articolo. Di quali problemi si parla?*
Dopo la lettura, confrontati con un compagno.

Grande fratello vigile

Nel 1998, lungo le strade della città di Singapore, è stata creata per la prima volta una serie di cancelli elettronici, simili ai Telepass delle nostre autostrade. È nato così Erp (Electronic road pricing), sistema di **pedaggi stradali** capace di tener conto del livello di traffico e di **inquinamento** e di rispondere all'aumento delle code in caso di incidenti o lavori. Come? Semplice: un incidente provoca coda in via Xy? Via Zx è troppo inquinata? Il transito in quelle vie costa di più. Nello stesso istante, viene consigliato un percorso alternativo e il costo di questo percorso viene abbassato. Il sistema si è rivelato talmente efficiente da aver reso Singapore la sola metropoli al mondo senza problemi di traffico o inquinamento. Il denaro raccolto dai pedaggi è stato investito nello sviluppo del sistema e nel potenziamento dei mezzi pubblici (tra cui la metropolitana più veloce al mondo).

Rifiuti di identità

A Stoccolma, nel quartiere Hammarby Siostad, non ci sono cassonetti della spazzatura. Non ci sono neppure **camion che passano a raccogliere i rifiuti** porta a porta. Tutti i **rifiuti** viaggiano a 70 km/h, sotto le strade: **sono aspirati** e portati nei centri di raccolta. Nessun **cattivo odore**, nessun disagio per i cittadini. […]
Il Comune di Petriolo (Macerata) ha avviato una sperimentazione che prevede l'uso di etichette speciali sui sacchetti per la raccolta rifiuti. In questo modo si potrà sapere quanti sacchetti sono usati da ogni famiglia e con quale frequenza. […]
A Vedelago (TV) i cittadini non pagano più una Tarsu (Tassa sui rifiuti solidi urbani), ma una Tia (Tariffa di igiene ambientale, che tiene conto di quanto si produce e di come si ricicla), con un risparmio di circa il 30%. E hanno un ambiente molto più pulito.

(adattato da Carlo Dagradi, *Più pulita e stimolante*, in Focus n. 230

d *Associa i disegni alle espressioni o frasi corrispondenti del testo* **9c**.

1 cattivo odore

2 sono aspirati

3 camion che passano a

il camion della spazzatura

4 pedaggi stradalli

5 rifiuti

6 inquinamento

e *I problemi citati nell'articolo esistono anche nel luogo in cui abiti?*
Le soluzioni sono simili a quelle dell'articolo o diverse? Oppure ci sono
altri problemi? E secondo te, le soluzioni sono soddisfacenti o bisognerebbe
fare qualcos'altro? Parlane con alcuni compagni.

10 Il problema viene risolto subito.

SCOPRIRE LA GRAMMATICA

a *Completa le frasi con i verbi che trovi nei testi*
dei punti 9b e 9c, come nell'esempio (tratto dal punto 2a).

208 - 209

Il tuo nome _verrà inserito_ in una speciale targa che _sarà esposta_ nella stanza adottata.

Nel 2050 la Terra _sarà abitata_ da 9 miliardi di persone.

Nel 1998 _è stata create_ per la prima volta una serie di cancelli elettronici.

Nello stesso istante, _viene consigliato_ un percorso alternativo e il costo di
questo percorso _viene abbassato_.

Il denaro raccolto dai pedaggi _è stato_ nello sviluppo del sistema.

In questo modo si potrà sapere quanti sacchetti _sono usati_ da ogni famiglia.

b *I verbi che hai inserito sono forme passive.*
Rileggi le frasi e cerca di completare la regola.

Io ho preso il treno
Il treno è stato preso per da me

Il passivo si forma con _essere_ / _venire_ + _participio passato_

Al passato prossimo il passivo si forma soltanto con _____.

La persona o la cosa che fa l'azione è introdotta dalla preposizione _____.

c *Come sarà la tua città nel 2100? Formula almeno sette frasi, come nell'esempio.*
Poi confrontati con alcuni compagni. Quali idee vi piacciono di più?

10–14

Esempio: Nel 2100 i mezzi pubblici saranno guidati dai robot.

11 I giovani salveranno l'Italia.

PARLARE E SCRIVERE

Secondo un'indagine realizzata dal Fai, i giovani italiani vorrebbero
fare qualcosa per la tutela del paesaggio, ma non sanno che cosa fare
e chiedono aiuto agli adulti. Lavora con alcuni compagni e insieme rispondete
al loro appello.

a *In gruppo, pensate a che cosa possono fare gli adulti (per esempio,*
la famiglia e la scuola) per aiutare i giovani in materia di educazione
ambientale. Formulate alcune proposte concrete.

b *Ogni gruppo presenta le proprie proposte. La classe sceglie le migliori*
e prepara un "piano d'intervento" comune.

15–17

Culture a confronto

Parchi e aree protette

a *Secondo te, dove si trovano le aree protette raffigurate nelle foto?*
Parlane con un compagno e insieme cercate di mettere ogni area al suo posto.

Parco del Mincio

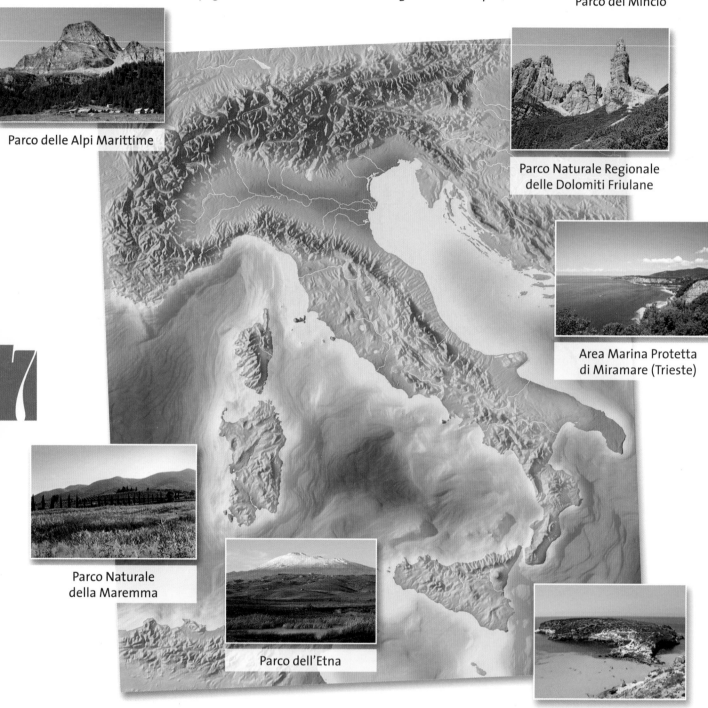

Parco delle Alpi Marittime

Parco Naturale Regionale
delle Dolomiti Friulane

Area Marina Protetta
di Miramare (Trieste)

Parco Naturale
della Maremma

Parco dell'Etna

Area Marina Protetta
Isole Pelagie

b *Conosci dei parchi nazionali o altre aree protette in Italia?*
Sai o riesci a immaginare quali paesaggi vengono protetti?
Parlane con alcuni compagni.

c *Conosci delle aree protette nella tua regione e/o nel tuo paese? Quali? Quali altre aree*
dovrebbero essere protette, secondo te? Perché? Parlane con alcuni compagni e poi riferite alla classe.

Grammatica e comunicazione

Il periodo ipotetico della realtà → 5.12.1

ipotesi	conseguenza	
Se + presente	presente	Se ti **piace** passeggiare nei giardini italiani, **puoi** adottare un albero o una panchina.
Se + presente	futuro	Se **adotti** una stanza, il tuo nome **sarà** legato ad essa.
Se + futuro	futuro	Se **adotterai** una pietra, essa **riporterà** incise le tue iniziali.

Il congiuntivo per esprimere timore o necessità → 5.5.1.2

Ho paura **che ci sia** troppa burocrazia.

Bisogna **che vi informiate** bene.

È necessario **che** le porte e le finestre **restino** chiuse.

Il passivo → 5.13

essere + participio passato	*venire* + participio passato
Si potrà sapere quanti sacchetti **sono usati da** ogni famiglia. Nel 2050 la Terra **sarà abitata da** 9 miliardi di persone. Nel 1998 **è stata creata** una serie di cancelli elettronici.	Viene **consigliato** un percorso alternativo. Il tuo nome **verrà inserito** in una speciale targa.

formulare ipotesi e indicarne le conseguenze

Se fai la tua parte, ricevi qualcosa in cambio.

Se mi danno le ferie, andrò in Sicilia.

Se andrai in Sicilia, potrai visitare la Valle dei Templi.

dire cosa è permesso e cosa è vietato

In un'area protetta è permesso/consentito camminare sui sentieri.

È vietato/proibito accendere fuochi.

parlare di tutela dell'ambiente e di risparmio energetico

Bisogna fare la raccolta differenziata.

Io riciclo sempre i rifiuti.

È necessario usare lampadine a basso consumo.

La mia casa consuma poca energia.

descrivere stili di vita ecologici

La mia casa è riscaldata con i pannelli solari.

Ho messo i tripli vetri per risparmiare energia.

Abbiamo dovuto imparare a vivere in questa casa.

parlare della vita in città

Il traffico e la scarsità di verde rendono la vita in città poco attraente.

In futuro le città saranno più pulite e più verdi.

'ALMA.tv

Sai cosa significa "essere al verde"?
Vai su www.alma.tv nella rubrica *Vai a quel paese* e scopri perché e come si usano alcune delle più diffuse e popolari espressioni idiomatiche italiane!

Portfolio

Cosa sai fare?

Ora sei in grado di...

	☺	☺	☹	📖
parlare di beni culturali e naturalistici	☐	☐	☐	1, 2, 4
formulare ipotesi	☐	☐	☐	3
esprimere un divieto o un obbligo	☐	☐	☐	5
esprimere preoccupazione	☐	☐	☐	7
parlare di stili di vita e consumi	☐	☐	☐	6, 8
parlare della vita in città	☐	☐	☐	9, 10

Come impari?

Capire un regolamento

a *In questa lezione hai imparato a capire e formulare alcune norme di comportamento (divieti e obblighi). Ma come puoi fare per capire un intero regolamento? Pensa a come hai lavorato ai punti **5** e **8** e parlane con un compagno.*

b *Ora leggi e prova a capire il seguente regolamento.*

LE REGOLE DI COMPORTAMENTO NEI PARCHI
(OVVERO NORME E DIVIETI)

o È VIETATO esercitare la caccia.

o È VIETATO raccogliere e uccidere animali appartenenti alla fauna minore (rane, rospi, salamandre, bisce, eccetera).

o È VIETATO percorrere prati, sentieri e mulattiere con mezzi a motore.

o È VIETATO parcheggiare le auto nei prati.

o È VIETATO accendere fuochi fuori dalle apposite aree.

o È VIETATO disturbare gli animali selvatici, rincorrere o infastidire quelli domestici al pascolo.

o È VIETATO abbandonare rifiuti.

o È VIETATO campeggiare per un periodo superiore alle 48 ore fuori dalle aree autorizzate.

o È VIETATO raccogliere rocce e minerali.

o È VIETATO raccogliere insetti.

o È VIETATO raccogliere fiori protetti.

o La raccolta di funghi e frutti del sottobosco è regolamentata e limitata a precise quantità.

(da www.antichipassi.com)

---

c *Quali norme conoscevi già? Che cosa ti ha aiutato a capire le regole che non conoscevi? Parlane con alcuni compagni.*

Ancora più chiaro 2

La città futura

1 *Il tuo Comune sta facendo progetti per il futuro: vuole rendere la città più verde, più pulita, più vivibile, perciò ha chiesto la collaborazione di tutti i cittadini. Collabora anche tu. Lavora con tutta la classe. Dividetevi in gruppi di 3-4 persone. Ogni gruppo rappresenta una categoria di cittadini. Potete ispirarvi alle idee elencate qui sotto o scegliere liberamente.*

> un gruppo di genitori con figli piccoli | un gruppo di anziani
> un gruppo di adolescenti | giovani coppie senza figli | commercianti

2 *Che cosa si può fare per rendere la città più verde, più pulita, più vivibile? Discutetene in gruppo ed elaborate delle proposte tenendo conto delle esigenze della vostra categoria.*

Potete considerare i seguenti temi: smaltimento dei rifiuti, traffico, edilizia, conservazione del patrimonio artistico e culturale.

Potete concentrarvi anche su altri aspetti della vita in città, come i servizi pubblici, le infrastrutture sportive, le zone ricreative, eccetera.

Se volete usate la tabella a pagina 92.

3 *Ogni gruppo di cittadini presenta il proprio progetto alla classe.*

4 *Il Consiglio comunale (= la classe) elabora poi un "piano d'azione" tenendo conto di tutte le esigenze.*

Gioco

Si gioca in gruppi di 3 o 4 persone. Serve un dado per ogni gruppo e una pedina per ogni giocatore.

A turno i giocatori lanciano il dado e avanzano del numero di caselle indicato dal dado.

Se nella casella c'è una domanda, il giocatore A la completa e il giocatore B (alla sua sinistra) risponde. Se la domanda è corretta, il giocatore A può restare dov'è, se non è corretta, torna alla casella di partenza.

Se il giocatore B risponde correttamente, può rilanciare il dado. Se non risponde correttamente, tocca al giocatore successivo.

Se nella casella c'è un esercizio da svolgere, il giocatore deve completarlo; se c'è un'immagine, deve creare una frase appropriata: se non fa errori, può restare dov'è, altrimenti torna alla casella di partenza e il giocatore successivo lancia il dado.

Vince chi raggiunge per primo la casella «ARRIVO».

18
Cinque nomi di animali.

19
Che cosa è ...... in un parco naturale?

20
Tre parole importanti per definire il welfare di un'azienda.

33
TORNA ALLA CASELLA 26 E STAI FERMO UN GIRO.

21
Che cosa fai per .... forma?

34
Una frase con il verbo "devolvere".

PARTENZA

22
paziente → pazienza
dinamico → ......
comunicativo → ......

1
Per il trattamento ha bisogno di un paio di ......

23
Tre divieti in una zona protetta.

24
Se andrai in Italia, ...

25
Il Fai è ......

2
Quali trattamenti ti ...... fare alle terme?

3
Quale bene del patrimonio naturale o culturale ti piacerebbe ...... ?

4
○ Potrei prenotare una visita medica?
■ Sì, ... prenoto subito.

5
Tre frasi sulla solidarietà.

17
costruire → è/viene costruito
scaldare → ......
vendere → ......

16
PASSA ALLA CASELLA NUMERO 18 E STAI FERMO UN GIRO.

15
Una domanda con il verbo "sperare".

14
A che cosa servono ...... ?

13
Tre caratteristiche di una casa ecosostenibile.

32
Tre professioni a contatto con il pubblico.

31
Quali sono i vantaggi e gli svantaggi della professione del ...... ?

30
I rifiuti nel mio quartiere ...... raccolti il lunedì. E nel tuo?

12
Che cosa facevi da bambino ...... le vacanze?

35
Che cosa faresti per ...... energia?

ARRIVO

29
○ Mi può passare il Suo libro, per favore?
■ Sì, ... do subito.

11
Ieri ...... andavi al lavoro/a scuola, che cosa è successo?

26
Ti sei mai occupato ...... volontariato?

27
TORNA ALLA CASELLA 22 E STAI FERMO UN GIRO.

28
Se vuoi costruire una casa bisogna che ......

10
Tre materiali con cui si può costruire una casa.

6
Descrivi brevemente uno sport.

7
Se ti danno le ferie ad agosto, ...

8
Tre sport e tre oggetti con cui si praticano.

9
TORNA ALLA CASELLA NUMERO 1 E STAI FERMO UN GIRO.

La città futura

⭐ Lista di proposte   ⬤ Gruppo ——————————

1.

2.

3.

4.

5.

6.

⭐ ——————————————

Sulla carta e sullo schermo 8

In questa lezione impari a:

- capire la trama di un film
- riassumere la trama di un film
- esprimere preferenze
- valutare un film
- fissare un appuntamento al telefono
- parlare di abitudini di lettura

1 Per iniziare

Guarda la foto: nella tua città/nel tuo paese c'è qualcosa di simile? Tu preferisci vedere un film al cinema o alla tv? E quando vai al cinema di solito? Con chi? Preferisci i grandi cinema multisala o quelli più piccoli? Perché? Parlane con alcuni compagni.

a *Associa i generi cinematografici alle definizioni corrispondenti, come nell'esempio.*

| commedia | film drammatico | film dell'orrore | ~~giallo~~ | film di fantascienza | film storico |

un film che racconta un delitto e la ricerca del colpevole	*giallo*
un film con una storia di carattere tragico	
un film che racconta fatti storici	
un film con una storia leggera e divertente	
un film che racconta avventure fantastiche e ispirate alla tecnologia moderna	
un film che fa paura	

Lingua

film muto = senza audio
in bianco e nero ≠ a colori
con effetti speciali

Vai su www.alma.tv nella rubrica *L'italiano con il cinema* e guarda un breve film in italiano. Alla fine puoi fare anche gli esercizi on line per verificare la comprensione. Cosa aspetti?

PARLARE

b *Guarda le locandine. Che genere di film ti aspetti?*
Lavora con un compagno. Fate delle ipotesi e immaginate il contenuto.

a

b

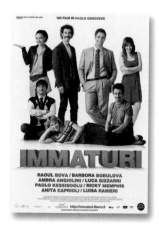

c

c *Ora leggi le trame e abbinale ai film. Avevi indovinato?*   LEGGERE

....

a Giorgio è uno psichiatra infantile che ha paura di diventare padre, Lorenzo un agente immobiliare che vive ancora in casa dei genitori, Luisa è una manager separata e con una figlia, Francesca una chef, Piero un dj e Virgilio quello che con una bugia, vent'anni prima, ha distrutto il gruppo. Ora i sei ex compagni di liceo, vicini ai quarant'anni, ricevono una lettera del Ministero della Pubblica Istruzione: il loro esame di maturità è annullato e devono rifarlo.

b Il Conclave elegge il nuovo Papa. A sorpresa viene nominato il cardinale Melville, che accetta ma poi, al momento di presentarsi alla folla dal balcone centrale della basilica di San Pietro, si ritira. Per aiutare il Papa a chiarire i suoi dubbi, i cardinali chiamano uno psicoanalista. Il dottore, però, consiglia di rivolgersi a sua moglie e così, per andare dalla terapeuta, il Papa esce dalle mura vaticane. La situazione si complica quando il pontefice sfugge al controllo e gira da solo per le vie di Roma. Nel suo nuovo film Nanni Moretti non è solo regista e interprete, ma anche produttore e sceneggiatore.

c Una giovane donna annega in un lago della provincia friulana. Sulla morte misteriosa di Anna, studentessa e giocatrice di hockey, indaga il commissario Giovanni Sanzio, che troverà l'assassino attraverso un'indagine investigativa ma anche esistenziale. L'opera prima di Andrea Molaioli è tratta dal romanzo della norvegese Karin Fossum, ma sostituisce i fiordi con i laghi della Carnia. Il regista romano ci propone un film sull'Italia di oggi, sulla provincia omologata tanto a Nord quanto a Sud, e sulle dinamiche dei rapporti umani, ben interpretate dagli attori: su tutte spiccano le interpretazioni di Toni Servillo e Fabrizio Gifuni.

1–2

PARLARE

d *Quale dei tre film ti piacerebbe vedere? Perché? Parlane con un compagno.*

3   Il mondo del cinema

LAVORARE CON IL LESSICO

8

a *Chi partecipa alla realizzazione di un film?*
Trova nei testi del punto 2 (b e c) le professioni e scrivile sotto i disegni.

1 _____

2 _____

3 _____

4 _____

Grammatica
attore → attrice

3

PARLARE

b *Hai degli attori o dei registi preferiti? Chi sono?*
Quali loro film hai visto? Parlane con alcuni compagni.

4 **Pronto?**

`CD ▶ 24`

a *Ascolta la telefonata e poi parlane con un compagno. Che cosa succede?*

`CD ▶ 25`

b *Ascolta anche il resto della conversazione. Di che cosa parlano Alba e Franca?*

c *Alba e Franca citano alcuni film indicati qui sotto. Quali? Quale è piaciuto a tutte e due?*

☐ La solitudine dei numeri primi   ☐ Caos calmo   ☐ Io e te

☐ Si può fare   ☐ Noi credevamo   ☐ Benvenuti al Sud

☐ Mio fratello è figlio unico   ☐ Io non ho paura   ☐ Cesare deve morire

5 **Al telefono**

`CD ▶ 25`

a *Leggi le seguenti battute. Poi ascolta ancora una volta.*
Infine associa le espressioni ai significati.

> Ci troviamo in piazza alle otto meno venti? | Ma sì, dai, basterà... | Chi parla, scusi?
> Aspetti un momento, gliela passo subito. | OK, allora alle otto meno venti.
> Comincia alle otto, no? | Basterà per trovare posto? | Potrei parlare con Franca?

Che cosa si dice per...

interagire al telefono		
	...chiedere di parlare con qualcuno?	_____
	...scoprire chi è al telefono?	_____
	...comunicare che si chiama la persona richiesta al telefono?	_____

fissare un appuntamento		
	...chiedere conferma di un orario?	_____
	...proporre un'ora e un luogo per un incontro?	_____
	...esprimere un dubbio su una proposta?	_____
	...allontanare un dubbio?	_____
	... accettare e confermare un orario?	_____

b *Ti ricordi altre espressioni utili per fissare un appuntamento con un amico?*
Parlane con un compagno.

PARLARE

c *Lavorate in coppia.* **A** *telefona a* **B** *e gli/le propone di andare al cinema.*
Decidete insieme quando andarci e che film vedere. Poi fissate un appuntamento
stabilendo ora e luogo d'incontro.

4–5

6 Che ne dici di quel film?

ASCOLTARE

▶ 25

a *Ascolta di nuovo la conversazione di Alba e Franca.*
Quali espressioni usano le due amiche per parlare...

...della storia?   ☐ avvincente   ☐ banale   ☐ commovente

...della colonna sonora?   ☐ bella   ☐ piacevole   ☐ efficace

...dei personaggi?   ☐ convincenti   ☐ ben interpretati   ☐ originali

LAVORARE CON IL LESSICO

b *Conosci altre espressioni utili per parlare di un film?*

7 Guardiamoli insieme!

SCRIVERE E PARLARE

Vuoi vedere un film italiano insieme a tutta la classe, in aula o a casa
di uno di voi. Ogni gruppo ne propone uno.

a *Lavora con alcuni compagni. Conoscete dei film italiani? Quali? Di che genere sono?*
Di che cosa parlano? Quali potreste proporre alla classe? Se non ne conoscete nessuno,
l'insegnante vi fornirà delle informazioni su alcuni film. Sceglietene uno e preparate una
breve presentazione.

b *Ogni gruppo presenta la propria proposta motivando la scelta e la classe*
decide quale film vedere, dove, quando e a che ora.

8 Mentre...

SCOPRIRE LA GRAMMATICA

a *Leggi questa frase tratta dalla telefonata e* <u>*sottolinea*</u> *i verbi.*
Quali tempi sono usati?

Stamattina mentre facevo la spesa ho incontrato Paola.

mentre + _____ + _____

b *Rifletti sulle due azioni di Alba (**fare la spesa** e **incontrare Paola**):*
secondo te, in quale ordine cronologico si svolgono?

☐ Le due azioni si svolgono contemporaneamente. ⟹

☐ Le due azioni si svolgono una dopo l'altra. →❙ →❙

☐ Un'azione comincia mentre l'altra è già in corso. ↓

c Che cosa è successo? Scrivi una frase sotto ogni disegno. Poi confronta le tue frasi con quelle di un compagno. Chi ha più frasi corrette?

Esempio:
Mentre aspettavo l'autobus è arrivato Giovanni.

1 _____

2 _____

3 _____

4 _____

e 6–7

9 Meglio il libro o il film?

*Nella telefonata del punto **4b** Alba e Franca discutono di film tratti da libri.*
Tu a quale delle due amiche assomigli di più? Ti capita ogni tanto di comprare
un libro perché ti è piaciuto un film? Oppure il contrario? Parlane con alcuni compagni.

10 E tu cosa leggi?

Lavora con un compagno. Formulate insieme alcune domande per scoprire le
abitudini di lettura della classe (pensate al genere di libri, ai criteri di scelta, ai possibili
luoghi di lettura, ai momenti in cui si legge, eccetera). Intervistate poi i compagni:
chi ha i gusti e le abitudini più simili?

Esempi:
Come scegli un libro? Leggi una recensione?
Leggi la lista dei libri più venduti?

Lingua
romanzo rosa
(romanzo) giallo
romanzo d'avventura
romanzo storico
libro di cucina
saggio
(auto)biografia
fumetti
racconto

11 Una storia

a *Ti hanno regalato questo libro: che cosa pensi leggendo il titolo? Fai delle supposizioni sull'uomo che vedi in copertina (Chi è? Che cosa fa? Dov'è? Dove sta andando?).*

b *Ora leggi l'inizio del libro e cerca di immaginare anche Anna, la donna che racconta (quanti anni ha, che lavoro fa, che tipo è...). Poi confrontati con un compagno.*

Era maggio la prima volta che l'ho visto. Tre mesi fa. Portavo questi pantaloni di lino blu, li avevo appena tirati giù dall'armadio.

La mia divisa estiva. Ho una divisa estiva e una inver-
5 nale. Di solito la indosso per lavorare, ma oggi non credo che lavorerò. Magari più tardi. Adesso di sicuro no: è l'alba. Riesco a lavorare solo di giorno. Alle sette di sera smetto, alle nove, la mattina, ricomincio.

Mi invento orari precisi, per riuscire a concentrarmi.
10 Anche la divisa è un trucco per concentrarmi. In questa casa senza porte è difficile non distrarsi. Seduta al tavolo da disegno, con la coda dell'occhio, nella mia casa tutta aperta come una secchiata d'acqua, vedo il letto sfatto, e dall'altra parte la cucina unta. La divisa mi serve per isolarmi. La divisa è il mio studio.

15 Questa casa è perfetta per te, aveva detto Valentina. Ma dove faccio lo studio? Non so, lì, o lì. O lì: guarda che finestre, guarda che affaccio. Ma non c'è neanche una porta! È uguale. Tanto abiti da sola, aveva detto Valentina. Chi ti deve disturbare?

Mi piacciono moltissimo questi miei pantaloni di lino blu, consunti e
20 bucati. Ne ho un altro paio per l'inverno, imbottiti e con l'elastico alla caviglia. Ma la divisa estiva mi sta meglio. Lo so. Per questo non la cambio. Anche se cominciano a essere molto consunti e bucati.

La prima volta che l'ho visto ero al bar. Quello dove scendo a prendere il caffè la mattina e dopo pranzo. Mi sentivo spavalda nei miei pantaloni
25 di lino, sapendo quanto mi stanno bene.

Anche lui aveva preso un caffè. Poi era uscito [...] .

Quei primi giorni, quando si limitava a star seduto sullo sgabello al bancone del bar e passarmi accanto per andare a fumare una sigaretta, non lo avevo visto bene in faccia. Sapevo solo che era alto, magro, aveva i capelli
30 scuri lisci e lunghi legati dietro la nuca e che indossava sempre pantaloni lerci di grasso e magliette bucate. Conoscevo il profilo del suo viso.

Quando arrivavo al bar lui era già lì. Sempre.

(da Elena Stancanelli, *Un uomo giusto*, Einaudi, Torino, 2011)

c *In questo disegno ci sono 7 dettagli che non corrispondono al testo del punto **11b**.
Gioca con alcuni compagni. Vince chi trova per primo tutti e 7 gli errori.*

12 **Aveva detto Valentina**   SCOPRIRE LA GRAMMATICA

a *Rileggi la seguente frase del testo e poi rispondi alla domanda.*

Era maggio la prima volta che l'ho visto. Tre mesi fa.

Portavo questi pantaloni di lino blu, li ***avevo*** appena ***tirati*** giù dall'armadio.

*La forma **evidenziata** è un tempo verbale nuovo: il trapassato prossimo. Secondo te, che
cosa esprime questo tempo? Parlane con un compagno e insieme completate la regola.*

Il trapassato prossimo esprime un'azione passata che si svolge

☐ prima di un'altra azione passata.

☐ dopo un'altra azione passata.

b *Ora cerca e* <u>sottolinea</u> *gli altri verbi al trapassato prossimo che ci sono nel testo.
Come si forma questo tempo? Completa la regola.*

Il trapassato prossimo si forma con l'imperfetto di _____ / _____ + participio passato.

c *Lavora con un compagno. A turno, uno sceglie una situazione e l'altro la completa, come nell'esempio.*

Esempio: A: Portavo i pantaloni di lino blu...
⠀⠀⠀⠀⠀⠀⠀B: ... che avevo appena tirato giù dall'armadio.

tirare giù dall'armadio | vedere alla mostra | consigliare Valentina | ereditare da mia nonna
preparare il barista | iniziare tre giorni prima | incontrare al bar

~~Portavo i pantaloni di lino blu...~~ ⠀⠀⠀_____

Bevevo il caffè... ⠀⠀⠀⠀⠀⠀⠀⠀⠀⠀_____

Anna abitava nella casa... ⠀⠀⠀⠀⠀_____

Ho sposato l'uomo... ⠀⠀⠀⠀⠀⠀⠀⠀_____

Ho venduto i gioielli... ⠀⠀⠀⠀⠀⠀⠀_____

Abbiamo comprato il quadro... ⠀⠀_____

Ieri Anna ha finito il disegno... ⠀⠀_____

8–13

13 **Anna e Davide** ⠀⠀⠀⠀⠀⠀⠀⠀⠀⠀⠀⠀⠀PARLARE, SCRIVERE, LEGGERE

Un famoso regista ha deciso di trasformare il romanzo **Un uomo giusto**
*in un film. Ha bisogno di una buona sceneggiatura e perciò ha indetto
un concorso a cui sono ammessi anche sceneggiatori non professionisti.
La prova di concorso è la sceneggiatura dell'incontro fra Anna e Davide.
Partecipa anche tu insieme ai tuoi compagni.*

a *In gruppo, provate a fare un ritratto più preciso di Anna e Davide
(se necessario, rileggete il testo). Poi pensate all'incontro fra i due:
come potrebbe svolgersi? Immaginate la storia.*

b *Ora scrivete anche i dialoghi: se volete potete aggiungere anche le indicazioni
che trovate qui sotto. Infine scegliete gli interpreti (Anna, Davide, voce narrante
fuori campo) e aiutateli ad esercitarsi nella lettura.*

scena 1/2/3... | interno/esterno | giorno/notte

c *Ogni gruppo presenta la sua sceneggiatura con una lettura drammatizzata
e il regista (= la classe) sceglie la migliore.*

14–16

Culture a confronto

Italiani al cinema

a *Leggi i testi e guarda le immagini.*
Qual è Alberto Sordi e qual è Ugo Fantozzi?

Alberto Sordi: attore e regista italiano (Roma 1919 - 2003). È prima la voce italiana di Oliver Hardy; dopo la seconda guerra mondiale raggiunge una grande popolarità con numerose interpretazioni: i suoi personaggi sono comici o cinici in superficie, ma spesso in fondo tragici. Difficile immaginare un altro attore capace di rappresentare con lo stesso genio l'evoluzione sociale, il tipo umano e soprattutto le caratteristiche negative dell'"italiano medio" dal dopoguerra in poi. Non a caso nel 1979 la Rai gli dedica il programma *Storia di un italiano,* in cui la storia del paese si intreccia con sequenze tratte dai suoi film.

Ugo Fantozzi: personaggio comico cinematografico creato e interpretato dall'attore Paolo Villaggio negli anni 70-80. Il ragionier Fantozzi è un impiegato incapace e sfortunatissimo che vive tante disavventure e le sopporta con rassegnazione. Sua moglie Pina è una donna insignificante e non bella, sua figlia Mariangela è stupida e bruttissima. Fantozzi rappresenta l'uomo senza qualità che sopporta ogni umiliazione senza ribellarsi perché si sente inferiore alle persone che hanno potere. I film di Fantozzi hanno anticipato in chiave comica il tema del mobbing nelle aziende e hanno fatto entrare nel lessico dell'italiano medio espressioni tipo *"Com'è umano, Lei!"* (detto al capo). L'aggettivo *"fantozziano"* si trova oggi anche nei vocabolari per indicare situazioni o atteggiamenti tragicomici.

b *Nel tuo paese ci sono o ci sono stati personaggi e/o interpreti con un ruolo simile a quello di Fantozzi e Sordi? Parlane con un compagno.*

c *Secondo te, oggi quali film e/o personaggi rappresentano meglio la realtà del tuo paese d'origine o del paese in cui vivi? Perché? Parlane con alcuni compagni. Poi ogni gruppo riferisce alla classe motivando le proprie scelte.*

Grammatica e comunicazione

I sostantivi in -tore → 4

I sostantivi che alla forma maschile termano in -tore alla forma femminile terminano in -trice:

l'attore – l'attrice
lo sceneggiatore – la sceneggiatrice
il produttore – la produttrice

Imperfetto e passato prossimo con mentre → 5.4

Stamattina mentre facevo la spesa ho incontrato Paola.
Mentre aspettavo l'autobus è arrivato Giovanni.

Usiamo mentre + imperfetto per un'azione passata che non è conclusa e il passato prossimo per un'azione conclusa nel passato.

Il trapassato prossimo: le forme → 5.14.1

	avere (imperfetto)	+ participio
(io)	avevo	
(tu)	avevi	lavorato
(lui, lei, Lei)	aveva	avuto
(noi)	avevamo	sentito
(voi)	avevate	
(loro)	avevano	

	essere (imperfetto)	+ participio
ero		uscito/uscita
eri		uscito/uscita
era		uscito/uscita
eravamo		usciti/uscite
eravate		usciti/uscite
erano		usciti/uscite

Il trapassato prossimo con i pronomi → 5.14.2

Lui si chiamava Davide, lo avevo conosciuto in un bar.
La mia amica si chiamava Valentina. L'avevo conosciuta sul lavoro.
Portavo questi pantaloni di lino blu, li avevo appena tirati giù dall'armadio.
La casa aveva finestre molto grandi, Valentina le aveva notate subito.

Il trapassato prossimo: l'uso → 5.14.3

Era maggio la prima volta che l'ho visto. Tre mesi fa. Portavo questi pantaloni di lino blu, li avevo appena tirati giù dall'armadio.

Con il trapassato prossimo si indica un'azione passata compiuta prima di un'altra azione avvenuta nel passato.

definire generi cinematografici

La ragazza del lago è un giallo.

Mio fratello è figlio unico è un film drammatico con riferimenti storici.

esprimere preferenze cinematografiche

A me (non) piacciono i film dell'orrore.

Guardo volentieri le commedie.

esprimere un parere su un film

Quando un film è tratto da un libro spesso mi delude.

Ho visto Io non ho paura e l'ho trovato molto avvincente.

È una storia molto/poco convincente.

parlare di libri

Sto leggendo un romanzo storico.

A me (non) piacciono le autobiografie.

Da piccolo leggevo i fumetti.

parlare di abitudini di lettura

Seguo i consigli di lettura degli amici.

Per scegliere un libro leggo le recensioni.

Mi piace leggere di sera a letto.

concordare un appuntamento

☐ Ci troviamo in piazza alle otto meno venti?

▶ Basterà per trovare posto?

☐ Ma sì, dai, basterà...

Portfolio

	😄	🙂	🙁	📘
capire la trama di un film	☐	☐	☐	2
riassumere la trama di un film	☐	☐	☐	3, 7
parlare dei tuoi film/attori/registi preferiti	☐	☐	☐	3
esprimere un breve giudizio su un film	☐	☐	☐	6, 9
fissare un appuntamento al telefono	☐	☐	☐	5
parlare di abitudini di lettura	☐	☐	☐	10
scrivere e interpretare un dialogo drammatizzato	☐	☐	☐	13

Riassumere una storia

a *Capita spesso di dover riassumere una storia in poche frasi, per esempio la trama di un film o di un libro. Che cosa bisogna fare per riassumere bene? Quali tecniche si possono usare? Leggi la lista insieme a un compagno e scegliete quelle che vi sembrano più utili.*

☐ Eliminare ripetizioni e parole superflue.
(*Era una giornata bellissima, veramente splendida. → Era una giornata splendida.*)

☐ Fare ipotesi.

☐ Selezionare le informazioni essenziali.

☐ Generalizzare. (*Paolo ha spento il PC, ha infilato le penne e le matite nel portapenne, ha raccolto i documenti e li ha messi in un cassetto. → Paolo ha messo in ordine la scrivania.*)

☐ Correggere il contenuto.

☐ Commentare.

☐ Semplificare le frasi. (*Quando ero giovane. → Da giovane.*)

☐ Mettere in ordine le informazioni.

b *E adesso metti in pratica. Insieme a un compagno, riassumete il testo di pagina 99 in 100 parole. Poi formate nuove coppie e riducete i vostri riassunti a 50 parole.*

Piccolo grande schermo 9

In questa lezione impari a:

- ⊙ parlare di fatti storici
- ⊙ parlare della televisione
- ⊙ confrontare comportamenti
- ⊙ esprimere preferenze per trasmissioni televisive
- ⊙ indicare il modo in cui si fa qualcosa
- ⊙ formulare ipotesi

1 **Per iniziare**

Guarda la foto. Secondo te, a quale periodo storico risale? Che cosa è diverso oggi? Parlane con alcuni compagni.

2 "Mamma Rai" e le sue sorelle PARLARE E LEGGERE

a *Che cosa sai della televisione italiana? Come immagini la sua storia?
Parlane con un compagno e insieme provate a completare il questionario.*

Le trasmissioni della Rai sono iniziate ☐ nel 1954. ☐ nel 1964.

All'inizio la gente guardava la tv soprattutto ☐ in casa propria. ☐ nei locali pubblici.

La pubblicità è arrivata in tv ☐ nel 1957. ☐ nel 1967.

Le trasmissioni a colori sono cominciate ☐ nel 1967. ☐ nel 1977.

Il terzo canale Rai ☐ offre solo programmi nazionali. ☐ offre anche programmi regionali.

Le prime emittenti private sono nate negli anni
☐ Settanta
☐ Ottanta del XX secolo.
☐ Novanta

Nel XXI secolo la tv è
☐ un mezzo di informazione. ☐ un mezzo di istruzione.
☐ un mezzo di intrattenimento. ☐ un luogo di dibattito politico.

La tecnologia digitale terrestre è stata introdotta nel ☐ 2004. ☐ 2010.

b *Ora ascolta e verifica.* ASCOLTARE

c *Ascolta di nuovo e segna le risposte giuste.*

Quali formati televisivi vengono citati?

☐ il telegiornale ☐ il documentario ☐ le previsioni del tempo ☐ la fiction
☐ la telecronaca ☐ il reality show ☐ la serie ☐ il programma politico
☐ il talk show ☐ il telefilm ☐ il telequiz ☐ il varietà

3 Le parole della televisione LAVORARE CON IL LESSICO

*Trova al punto **2c** i formati televisivi corrispondenti alle seguenti definizioni.*

1 trasmissione di un avvenimento accompagnata da commento _____

2 breve "film" che informa su un argomento d'attualità o di interesse culturale _____

3 programma in cui si mostrano le vicende di persone comuni in situazioni reali _____

4 trasmissione a puntate in cui si trovano sempre gli stessi protagonisti _____

5 spettacolo che presenta canzoni, musiche, balletti, eccetera _____

4 **La nostra tv**

a *Ascolta di nuovo. Che funzione avevano queste trasmissioni?*
E quale esiste ancora?

1 Festival di Sanremo

2 Lascia o raddoppia?

3 Carosello

4 Non è mai troppo tardi

intrattenere: n. _____

istruire: n. _____

fare pubblicità: n. _____

b *Ascolta un'altra volta e rispondi alle domande.*

Che influenza ha avuto la tv sulla lingua italiana?
Com'è cambiata la tv nel corso del tempo?

c *Confronta le tue risposte con quelle di un compagno e poi parlatene insieme.*
L'evoluzione della televisione italiana ha qualcosa in comune con quella della
televisione del tuo paese?

5 **Trasmissioni e spettatori**

a *Associa le denominazioni ai disegni, poi parla con un compagno:*
in quali formati televisivi potreste trovare questi personaggi?

valletta | prete | comico | presentatore | poliziotto

1 _____

2 _____

3 _____

4 _____

5 _____

b *Leggi il seguente testo. Che rapporto ha Rino Zena con la televisione?*

Rino Zena odiava la televisione. Varietà, talk show, programmi politici, documentari, telegiornali, anche lo sport e le previsioni che non ci pigliavano mai.

Prima era diverso, però.

La televisione quando lui era piccolo era un'altra cosa. Due canali. Precisi. Statali.
5 C'erano cose belle, fatte con passione. Passavi la settimana aspettandole.
Pinocchio, per esempio. Un capolavoro. E vogliamo parlare degli attori? Manfredi, un grande. Alberto Sordi, un genio. Totò, il miglior comico del mondo.

Ora invece era tutto cambiato.

Rino odiava i presentatori tinti e le vallette nude e stava male quando vedeva la
10 gente pronta a parlare dei cazzi suoi di fronte a mezza Italia.

E odiava la gentilezza ipocrita dei presentatori. Odiava i giochi al telefono. I balletti raffazzonati. Odiava le battute rancide dei comici. E detestava gli imitatori e gli imitati. Odiava i politici. Odiava gli sceneggiati con i poliziotti buoni, i carabinieri simpatici, i preti buffi e le squadre anticrimine.
15 Eppure Rino Zena non riusciva a non guardare la televisione. Ci s'incollava davanti tutta la notte. E di giorno, quando stava a casa, era sempre là su quella sedia a sdraio a insultarli.

(adattato da Niccolò Ammaniti, *Come Dio comanda*, Milano, Mondadori, 2006)

Lingua

cazzi (volgare) = (qui) fatti

c *Con l'aiuto del testo, associa le espressioni ai significati, come negli esempi. Poi confrontati con un compagno.*

non ci pigliavano mai	sentite mille volte
nude	non erano mai corrette
ipocrita	stava fermo lì davanti
raffazzonati	divertenti, bizzarri
battute	non vestite
rancide	preparati velocemente e male
buffi	falsa
si incollava	frasi per cui la gente ride

d *E tu, guardi spesso la tv? Perché sì o perché no?*
Quali trasmissioni preferisci? Parlane con alcuni compagni.

6 **Passavo la settimana aspettando *Pinocchio*.**   SCOPRIRE LA GRAMMATICA

a *Leggi la seguente frase.*

C'erano cose belle, fatte con passione. Passavi la settimana ***aspettandole***.

Secondo te, che cosa esprime *aspettandole*?

☐ Quando
☐ Come   si passava la settimana.
☐ Perché

b *Rileggi la frase del punto a. A che cosa si riferisce il pronome -le in*
aspettandole? *E che cosa noti sulla posizione di questo pronome?*
Parlane con un compagno.

'ALMA.tv

Sai che gli italiani amano usare i pronomi? Vai su www.alma.tv, nella rubrica *Grammatica caffè* e scoprilo guardando il video "La lingua del fare e la lingua dell'essere".

c *Come passi la serata? Lavora con alcuni compagni. Ognuno di voi sceglie un verbo e pensa una frase per rispondere a questa domanda, ma non la dice, come nell'esempio a sinistra. Poi, a turno, ognuno dice la propria risposta, come nell'esempio a destra e gli altri cercano di indovinare a che cosa si riferisce.*

mangiare | bere | scrivere | leggere | ascoltare | fare | guardare

Esempio:

A: *Passo la serata aspettando **il mio programma preferito**.*

A: *Passo la serata aspettando**lo**.*

B: Un amico?
C: Un pacco?
...

7 Io guardo Sanremo.

ASCOLTARE

a *Ascolta la conversazione fra Marta, Emilia e Flavio. Di che cosa stanno parlando? Su quali punti hanno opinioni diverse?*

b *Lavora con un compagno. Descrivete i disegni e poi ascoltate di nuovo. Quali delle situazioni raffigurate ritrovate anche nella conversazione?*

PARLARE

c *Quali abitudini e/o opinioni citate nel dialogo sono simili alle tue? Perché? Parlane con alcuni compagni e scopri se avete qualcosa in comune.*

8 **Se lo facessi anche tu...**

a *Prova a inserire i seguenti verbi al posto giusto. Poi confrontati con un compagno.*
Alla fine ascoltate e verificate.

| imparassero | avessi | sentissi | comprassi |

Anch'io vedrei volentieri un film... se **ci fosse** qualcosa di bello.

Se **prendessi** anche tu la TV satellitare, avresti più scelta, come me.

Beh, se _____ più canali, magari troveresti qualche bel film anche la domenica pomeriggio.

E poi se _____ quelle cose lì, passerei un sacco di tempo a fare zapping, io che sono un'indecisa...

○ Mentre cerco di svegliarmi, sento le notizie del giornale radio.

■ Eh, ma che male ci sarebbe se tu le _____ con la tv?

Non sarebbe meglio se tu e tuo marito li **seguiste** un po' in queste cose? Cioè... se i ragazzi _____ a usare i media in modo responsabile, critico...

b *I verbi* **evidenziati** *e quelli che hai inserito sono forme di congiuntivo imperfetto.*
Considera i verbi **comprassi, prendessi, sentissi**: *qual è l'infinito? Che cosa è uguale in tutte e tre le forme verbali? Che cosa invece è diverso? Parlane con un compagno.*
Poi cerca di completare la seguente tabella.

Verbi regolari

	imparare	prendere	avere	seguire	capire
(io)	_____	prend**essi**	av**essi**	_____	cap**issi**
(tu)	_____	prend**essi**	_____	_____	_____
(lui/lei/Lei)	impar**asse**	_____	av**esse**	segu**isse**	_____
(noi)	_____	prend**essimo**	av**essimo**	_____	cap**issimo**
(voi)	_____	_____	av**este**	segu**iste**	_____
(loro)	impar**assero**	_____	av**essero**	_____	_____

Verbi irregolari

	essere	fare	dare	stare
(io)	fossi	facessi	dessi	stessi
(tu)	fossi	facessi	dessi	stessi
(lui/lei/Lei)	_____	facesse	desse	stesse
(noi)	fossimo	facessimo	dessimo	stessimo
(voi)	foste	faceste	deste	steste
(loro)	fossero	facessero	dessero	stessero

c *Le frasi del punto **8a** esprimono delle ipotesi. Secondo te, si riferiscono al passato o al presente? E sono realizzabili o no? Rileggi le frasi. Poi, con un compagno, completa lo schema cancellando le soluzioni sbagliate e aggiungendo quello che manca.*

Queste ipotesi...
... sono   realizzabili/irrealizzabili.
... si riferiscono   al passato/al presente.
si formano con   *se +* _____ , _____ .

9 Se...

GIOCO

*Gioca con un compagno. A turno, ognuno sceglie una casella e formula una frase con **se...**, come nell'esempio. Se la frase è corretta, il giocatore conquista la casella; altrimenti la casella resta libera. Per ogni dubbio consultate l'arbitro (l'insegnante). Vince chi per primo conquista tre caselle in orizzontale, in verticale o in diagonale.*

Esempio:
trovarsi su un'isola deserta → Se mi trovassi su un'isola deserta, parlerei con il mio amico Venerdì.

ricevere un regalo che non mi piace	incontrare per strada un divo del cinema o della tv	non potere guardare la tv per sei mesi
vincere un milione	non avere soldi né carta di credito per pagare al ristorante	ricevere in regalo un buono per un anno di palestra
perdersi su un sentiero di montagna	trovare per strada un portafoglio pieno di soldi	restare senza benzina in una strada di campagna isolata

7–11

10 Una trasmissione rivoluzionaria

PARLARE E SCRIVERE

*Lavori per un'emittente televisiva che vuole rinnovarsi.
Ci sono diversi gruppi di lavoro che hanno il compito di ideare una nuova trasmissione.*

a *Lavora con alcuni compagni. Raccogliete le idee e formulate un progetto. Pensate al genere di trasmissione (documentario, varietà, eccetera o formato del tutto nuovo), al pubblico adatto (uomini/donne, fascia d'età, eccetera), ai contenuti, all'orario, alla frequenza (giornaliera, settimanale...), agli eventuali collegamenti con altri media (per esempio sito Internet dedicato alla trasmissione: consigli, commenti, download, eccetera).*

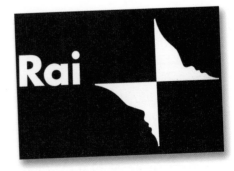

b *Ogni gruppo di lavoro presenta il proprio progetto motivando le proprie scelte e la direzione (= la classe) sceglie il progetto più innovativo.*

12–14

Culture a confronto

Per ridere un po'

a *Guarda questa vignetta. La trovi divertente? Perché?*
Parlane con un compagno.

(Per gentile concessione de *La Settimana Enigmistica*,
Italia – copyright riservato)

PATATINE

— I cavernicoli mangiavano cibi sani, non guardavano la tivù e adesso sono tutti morti! Questo cosa ti dice?

b *Leggi le seguenti barzellette. Quali sono i personaggi presi di mira? Queste barzellette ti fanno ridere? Per te è facile capirle o questo tipo di umorismo è molto distante dalla tua cultura? Nel tuo paese ci sono dei "personaggi" presi di mira dalle barzellette? Quali? Perché? Parlane con alcuni compagni.*

Un presentatore chiede a un carabiniere che partecipa a un suo quiz:
- Cosa fai se ti trovi in Africa, sei su una jeep e devi sfuggire ad un leone?
Il carabiniere ci pensa e poi:
- Metto la freccia a sinistra e poi vado a destra!

La maestra dice a Pierino:
- Se metto nello zaino 5 libri di italiano, 7 di matematica e 2 di storia, quanti libri avrò?
- Abbastanza per rovinarmi le vacanze...

Un bambino va dal padre e gli chiede:
- Papà, qual è la capitale della Francia?
- Non lo so figlio...
- Papà, in che regione è Roma?
- Non lo so caro.
- Papà, come si chiama il nostro presidente?
- Non so neanche questo.
- Papà... ti dà forse fastidio che ti faccia tutte queste domande?
- No caro, chiedendo si imparano tante cose!

(da www.barzellette.dada.net)

Grammatica e comunicazione

Il gerundio con valore modale → 5.9.1

C'erano cose belle, fatte con passione. Passavi la settimana **aspettandole**.

Il gerundio può avere valore modale quando descrive in che modo si svolge un'azione.

La posizione dei pronomi → 5.9.2

C'erano cose belle, fatte con passione. Passavi la settimana aspettandole.

Rino Zena odiava **la televisione**, ma passava la notte guardandola.

Il congiuntivo imperfetto: le forme

verbi regolari → 5.5.2

	imparare	prendere	seguire	capire (pres. *-isc-*)
(io)	impar*assi*	prend*essi*	segu*issi*	cap*issi*
(tu)	impar*assi*	prend*essi*	segu*issi*	cap*issi*
(lui, lei, Lei)	impar*asse*	prend*esse*	segu*isse*	cap*isse*
(noi)	impar*assimo*	prend*essimo*	segu*issimo*	cap*issimo*
(voi)	impar*aste*	prend*este*	segu*iste*	cap*iste*
(loro)	impar*assero*	prend*essero*	segu*issero*	cap*issero*

verbi irregolari → vedi tabella in terza di copertina

	essere	fare	dare	stare
(io)	fossi	facessi	dessi	stessi
(tu)	fossi	facessi	dessi	stessi
(lui, lei, Lei)	fosse	facesse	desse	stesse
(noi)	fossimo	facessimo	dessimo	stessimo
(voi)	foste	faceste	deste	steste
(loro)	fossero	facessero	dessero	stessero

Il periodo ipotetico della possibilità → 5.12.2

Se **prendessi** anche tu la TV satellitare, **avresti** più scelta.
Anch'io **vedrei** volentieri un film... se ci **fosse** qualcosa di bello.

ipotesi	conseguenza
se + congiuntivo imperfetto	condizionale presente

descrivere eventi e relativi effetti

Le trasmissioni della Rai sono iniziate/iniziano il 3 gennaio 1954.
Negli anni Cinquanta c'era/c'è un solo canale.
La tv contribuisce a diffondere la lingua nazionale fra gli italiani.
Nel 2004 iniziano le trasmissioni con tecnologia digitale terrestre.
I canali televisivi si moltiplicano.

confrontare situazioni e comportamenti

Prima era diverso, però.
La televisione quando lui era piccolo era un'altra cosa.
I tuoi ragazzi probabilmente faranno come i miei.

parlare di spettacoli televisivi

Questa sera guardo un telefilm.
Odio/Detesto i telequiz.
□ Io guardo Sanremo.
▶ Il Festival? Ancora? Ma non è finito?
□ Macché! Scherzi!
▶ Ma come fai a non annoiarti?

formulare ipotesi e indicarne le conseguenze

Se prendessi anche tu una cosa del genere, avresti più scelta, come me.
Che male ci sarebbe se tu ascoltassi le notizie alla tv?

Portfolio

Ora sei in grado di...	😄	🙂	🙁	📖
parlare di fatti storici	☐	☐	☐	2, 4
parlare della televisione	☐	☐	☐	4, 5, 10
confrontare comportamenti	☐	☐	☐	5, 7
esprimere preferenze per trasmissioni televisive	☐	☐	☐	5, 10
indicare il modo in cui si fa qualcosa	☐	☐	☐	6
formulare ipotesi	☐	☐	☐	8, 9

Imparare l'italiano con la tv

a *Secondo te, che tipo di trasmissioni televisive si può usare per imparare una lingua? Che trasmissioni useresti? Parlane con un compagno e insieme fate una lista.*

> **'ALMA.tv** ▶
>
> E non dimenticare di andare su www.alma.tv! Scoprirai tanti video, film, esercizi, test, giochi per esercitarti e conoscere la cultura italiana.

b *Lavorate insieme a un'altra coppia. Unite le liste e poi discutete su ogni trasmissione del vostro elenco comune: che cosa potete imparare guardando quel tipo di trasmissione? Perché? Conoscete trasmissioni italiane adatte a questo scopo?*

c *Ogni gruppo presenta le proprie idee e la classe realizza una "mappa dell'apprendimento televisivo".*

mercato
ciapaciapin
taol
causset
mismas
tazza
àiga
öriu
ramerino
pecorino
Inghirtera
albero
pupa
erba
gatto
caddu
tanticchia
seggia

Parla chiaro!

10

In questa lezione impari a:

- parlare di lingue e dialetti

- formulare prescrizioni

- riconoscere denominazione e
  funzione di alcuni uffici pubblici

- parlare di problemi burocratici

- decrivere la tua immagine
  dell'Italia

- parlare di lingue minoritarie

1 Per iniziare

a *Guarda l'immagine. Che cosa vedi? Parlane con un compagno.*

b *Ora ascolta come "suona" quello che vedi.*

c *Guarda di nuovo l'immagine della pagina 115 e prova a distinguere le parole in italiano da quelle in dialetto. Parlane con un compagno.*

2 Che lingua parli?

ASCOLTARE

CD ▶ 30

a *Ascolta un estratto di un'intervista radiofonica. Secondo te qual è il tema?*

☐ La lingua nazionale italiana   ☐ I dialetti italiani   ☐ Le lingue minoritarie in Italia

CD ▶ 31

b *Ascolta di nuovo la risposta e segna le soluzioni giuste.*

Le regole della lingua italiana sono state codificate...

> **Lingua**
> Trecento = XIV sec.
> (quattordicesimo secolo)

☐ nel Trecento.   ☐ nel Quattrocento.   ☐ nel Cinquecento.

Partendo dalla letteratura, in quel secolo la lingua italiana si è diffusa in ambito...

☐ politico.   ☐ quotidiano.   ☐ religioso.   ☐ scientifico.   ☐ artistico.

Le grammatiche sono state scritte prendendo come modello la lingua che si parlava...

☐ nel Trecento   ☐ nel Quattrocento   ☐ nel Cinquecento

☐ a Milano.   ☐ a Firenze.   ☐ a Roma.

Come modello è servita la lingua di...

☐ Giovanni Boccaccio.   ☐ Dante Alighieri.   ☐ Alessandro Manzoni.

☐ Francesco Petrarca.   ☐ Giovanni Verga.   ☐ San Francesco d'Assisi.

3 In lingua o in dialetto?

PARLARE E SCRIVERE

a *Lavora con un compagno. Preparate alcune domande per scoprire se i vostri compagni parlano solo la lingua nazionale o anche uno o più dialetti (del paese di residenza e/o del paese d'origine). Poi intervistate almeno tre compagni.*

Esempi: Parli un dialetto? Conosci qualcuno che lo parla?

PARLARE

b *Formate dei gruppi e raccogliete le informazioni. Alla fine un rappresentante per gruppo riferisce in plenum. Quante persone conoscono/parlano un dialetto nella vostra classe?*

4 Teso', andiamoci a mangiare 'na bella pizza

ASCOLTARE E LEGGERE

CD ▶ 32

a *Ascolta le seguenti frasi in dialetto (a sinistra) e poi cerca di associarle alle corrispondenti frasi in italiano (a destra).*

1 Teso', andiamoci a mangiare 'na bella pizza.
2 Sì, ma io vaco tutte 'e sere, che me ne fotte!
3 Chi è ccà ca fa 'na bella pizza?
4 'A pizza c' 'o furno elettrico?

a Chi c'è qui che fa una buona pizza?
b Tesoro, andiamo a mangiare una buona pizza.
c La pizza con il forno elettrico?
d Sì, ma io ci vado tutte le sere, che cosa me ne importa!

b *Ora leggi il testo e scopri in quale parte d'Italia si parla così.*

Non voglio fare polemiche con gli amici del Nord, ci mancherebbe, ma va detto che la vera pizza è solo e unicamente napoletana.

La più famosa, la pizza "margherita", fu inventata
5 proprio a Napoli nell'estate del 1889, dal cuoco Raffaele Esposito della pizzeria Brandi, il quale la preparò in onore della regina Margherita di Savoia, moglie di Umberto I, che era in visita a Napoli.

Da quel momento iniziò a diffondersi in tutta
10 Napoli, nel Sud, nel resto della penisola e nel mondo intero.

La pizza è un pasto completo. Costa poco, è nutriente, genuina. È un ricordo d'amore.

Tutti noi almeno una volta nella vita abbiamo
15 detto: "Teso', andiamoci a mangiare 'na bella pizza".

Non ho mai sentito dire: "Andiamoci a mangiare 'na bella polenta".

La pizza gira per il mondo con i colori della bandiera italiana: rosso per il pomodoro, verde per il basilico e
20 bianco per la mozzarella.

Se chiediamo a un dietologo quante volte la possiamo mangiare lui ci dice: "Una volta a settimana". Poi aggiunge fiero: "Sì, ma io vaco tutte 'e sere, che me ne fotte!".

Quando un napoletano va al Nord, come prima cosa non chiede noti-
25 zie sul clima, sull'ospitalità, sui posti da visitare. No.

La prima cosa che chiede è: "Chi è ccà ca fa 'na bella pizza?".

Allora ognuno del posto dà indicazioni: "Eh, c'è una pizzeria qui che ha aperto da poco, c'ha il forno elettrico...".

"'A pizza c' 'o furno elettrico? È un'eresia!".
30 "C'è anche un altro che fa le pizze con una mozzarella che arriva da Battipaglia... Sta a mezz'ora da qui e ci arrivi con l'auto: fa la pizza a tranci".

"A tranci? E che è? Io la voglio tonda!".

Finalmente trovi un compaesano che dice: "Io sto qua da dieci anni".
35 "Ah, allora sai sicuramente qualche posto dove si mangia una buona pizza!".

"Certamente. È a qualche chilometro da qui. Ci puoi arrivare in treno".

«E a quale fermata devo scendere?".

"Quando vedi la scritta NAPOLI, si' arrivato".

(da Alessandro Siani, *Non si direbbe che sei napoletano*, Milano, Mondadori, 2011)

Lingua
il quale = che
c'ha (lingua parlata) = ha

a *Quali sono le caratteristiche della vera pizza? Leggi nuovamente il testo del punto **4b** per trovare le informazioni, poi confrontati con un compagno.*

tonda

 a tranci

PARLARE

b *Esiste un piatto che ti fa sentire "a casa"? Perché? Cerca anche tu in ogni luogo le specialità di casa tua o preferisci provare la cucina locale? Perché? Parlane con alcuni compagni: chi è il più "casalingo" e chi il più curioso?*

6 Le regole vanno scoperte SCOPRIRE LA GRAMMATICA

a *Completa la frase con la forma verbale che trovi nel testo del punto **4b**.*

Non voglio fare polemiche con gli amici del Nord, ci mancherebbe, ma
_____ che la vera pizza è solo e unicamente napoletana.

b *Quella che hai inserito è una nuova forma di passivo. A che cosa serve, secondo te, questa forma? Parlane con un compagno e scegli una risposta.*

Questa forma di passivo serve per dire che
☐ si deve fare una cosa.
☐ si può fare una cosa.

c *Come si costruisce questa forma di passivo? Parlane con un compagno e completate insieme la regola.*

_____ + _____

7 La bolletta va pagata qui

In Italia, dove vanno sbrigate le seguenti pratiche? Formula delle frasi, come nell'esempio. Sono possibili più soluzioni. Poi confrontale con quelle di un compagno e discutete: trovi delle differenze rispetto al tuo paese?

Esempio: Un bonifico va fatto in banca.

1 ~~fare un bonifico~~
2 prendere in prestito libri
3 pagare bollette (acqua/luce/gas)
4 fare reclami per una bolletta sbagliata
5 chiedere il permesso di soggiorno
6 cambiare residenza
7 accettare un'eredità

negli uffici del Comune | in banca | in biblioteca | dal notaio
alla posta | alla società che fornisce il servizio | in questura

8 Adesso avvio la pratica

a *Ascolta il dialogo. Secondo te, in quale parte d'Italia si svolge? In quale ufficio?*

b *Ascolta ancora una volta e rispondi alle domande.*
Poi confrontati con un compagno.

L'utente è del posto? _____
Quale pratica deve sbrigare? _____
Che problemi ha? _____
Che cosa propone l'impiegata? _____

9 Che cosa hai dovuto fare?

a *Completa le seguenti battute dell'utente usando gli elementi delle liste.*
Poi ascolta e verifica.

Poi _____ _____ _____ _____ tornare.

> sono | non | potuta | più

Quindi _____ _____ _____ _____
consumare tutto questo gas.

> nemmeno | non | potuto | ho

Alla prima occasione _____ _____ _____
di persona.

> venire | dovuta | sono

b *Leggi ora le frasi complete. Come si forma il passato prossimo dei verbi **dovere**,*
***potere** (e **volere**)? Che cosa noti a proposito del verbo ausiliare (**essere/avere**)?*
Parlane con un compagno e poi insieme completate la regola sottolineando il verbo giusto.

Il passato prossimo dei verbi *dovere*, *potere* e *volere* si forma con **avere**,
se il verbo che segue all'infinito forma il passato prossimo con *essere/avere*.

Il passato prossimo dei verbi *dovere*, *potere* e *volere* si forma con **essere**,
se il verbo che segue all'infinito forma il passato prossimo con *essere/avere*.

10 In una nuova città

a *Ti sei appena trasferito in un'altra città o in un altro paese. Scegli nella*
lista tre cose che hai o non hai dovuto/potuto/voluto fare dopo il trasloco,
poi aggiungine una tu e infine scrivi 4 frasi, come nell'esempio.

Esempio: conoscere gente nuova → Ho voluto/Non ho voluto conoscere gente nuova.

> andare dal notaio | fare un bonifico | cambiare residenza | pagare una bolletta
> girare per la città | imparare il dialetto | entrare in contatto con i vicini
> uscire con i colleghi | aprire un conto corrente | arredare la casa

b *Gioca con un compagno. Cerca di indovinare che cosa ha o*
non ha dovuto/potuto/voluto fare. Vince chi indovina tutto
per primo.

Esempio: A: Hai voluto conoscere gente nuova?
          B: Sì./No.

11 È capitato anche a me

Hai mai avuto un problema burocratico come la persona del dialogo?
Dove/Quando ti è successo? Che cosa hai fatto/hai dovuto fare?
O conosci qualcuno a cui è capitato? Parlane con alcuni compagni.

12 Chi lo dice?

CD ▶ 35

a *Ascolta ancora una volta un estratto del dialogo del punto **8***
e stabilisci chi pronuncia le frasi qui sotto: l'utente (U) o l'impiegata (I).

☐ E quando **vennero** a fare la lettura del contatore allora Lei non c'era?

☐ Esatto. Quando sono venuti io ero a Brescia.

☐ Ah. Quindi nessuno **controllò** le cifre, allora?

☐ Eh no, purtroppo no. C'è una persona che si occupa della casa,
ma non ha controllato le cifre. Non credo...

☐ Beh, innanzi tutto bisogna verificare tutta la procedura:
chi **eseguì** la lettura, i parametri eccetera.

Lingua
il contatore

b *Alcune frasi contengono dei verbi **evidenziati**: sono esempi di un nuovo tempo,*
il passato remoto. Chi pronuncia queste frasi: l'utente (di Brescia, in Lombardia)
o l'impiegata? E quale tempo usa l'altra persona? Parlane con un compagno.

c *Inserisci nelle tabelle le forme di passato remoto del punto **12a**. Poi cerca i tre*
*esempi che si trovano nel testo del punto **4b** (righe 4-9): uno di essi ti serve per*
completare l'ultima colonna. Alla fine confrontati con un compagno.

controllare	vendere	eseguire	venire	essere
controll*ai*	vend*ei*/ vend*etti*	esegu*ii*	venni	fui
controll*asti*	vend*esti*	esegu*isti*	venisti	fosti
_____	vend*é* / vend*ette*	_____	venne	_____
controll*ammo*	vend*emmo*	esegu*immo*	venimmo	fummo
controll*aste*	vend*este*	esegu*iste*	veniste	foste
controll*arono*	vend*erono* / vend*ettero*	esegu*irono*	_____	furono

d *Osserva le tabelle dei verbi regolari (**controllare**, **vendere**, **eseguire**):*
quali somiglianze e differenze noti tra le forme delle tre coniugazioni?

e *A pagina 121 trovi il passato remoto di alcuni verbi irregolari. Lavora con un compagno.*
Inserite i verbi nella tabella. Vince la coppia che per prima riesce a completarla correttamente.

disse diceste avesti ebbe avemmo vedemmo
ebbi facemmo videro fece faceste
chiedesti chiedeste dissi aveste chiesero
fecero vidi dissero feci chiesi dicesti
vide facesti
dicemmo chiese vedesti vedeste chiedemmo ebbero

	avere	chiedere	dire	fare	vedere
io					
tu					
lui, lei, Lei					
noi					
voi					
loro					

9–12

13 Da noi si parla così

*Esistono anche nel tuo paese delle differenze nell'uso della lingua nazionale
(per esempio nei tempi verbali, nel significato di certe parole, nell'uso degli articoli, eccetera)?
Cosa dovrebbe sapere una persona che si trasferisce da una parte all'altra del paese o
che viene dall'estero? Parlane con alcuni compagni.*

14 L'Italia per noi è…

*Raggiunta la fine di **Chiaro! B1**, prova a fare il punto sulla tua immagine dell'Italia.*

a *Com'era la tua immagine dell'Italia quando hai cominciato a studiare l'italiano? E com'è ora?
Lavora con alcuni compagni. Raccogliete innanzi tutto le idee in due liste.
Poi preparate un poster.*

All'inizio l'Italia per noi era…
Adesso l'Italia per noi è…

b *Leggete ora i poster degli altri gruppi.*

c *Commentate i poster insieme a tutta la classe.
Ci sono elementi in comune? Quali sono le differenze
fondamentali tra l'immagine iniziale dell'Italia e
quella attuale?*

d *Utilizzate le idee emerse per realizzare una
pubblicità per i corsi di lingua e cultura italiana della
vostra scuola.*

Culture a confronto

Le lingue degli italiani

a *Guarda questa foto. Che cosa noti di particolare? Una targa così si potrebbe trovare anche nel tuo paese?*

COMUNE DI UDINE
COMUN DI UDIN

Primo Piano	Assessorato al Personale, Decentramento, Legale, Pari Opportunità
Primo Piano	Servizio Organizzazione e Gestione Risorse Umane
Secondo Piano	Ufficio Studi e Statistica
Prin Plan	Assessorât al Personâl, Decentrament, Legâl, Pari Oportunitât
Prin Plan	Servizi Organizazion e Gjestion Risorsis Umanis
Secont Plan	Ufici Studis e Statistiche

Orario al pubblico	Orari al public
dal Lunedì al Venerdì	di Lunis a Vinars
8.45 - 12.15	
Lunedì e Giovedì	Lunis e Joibe
15.15 - 16.45	

b *Indica nella cartina le zone in cui si parlano le lingue menzionate nel testo (oltre all'italiano).*

In Italia ci sono alcune minoranze linguistiche: gruppi di abitanti parlano lingue materne diverse dall'italiano, tutelate dalla Costituzione.
In Alto Adige il tedesco è lingua ufficiale come l'italiano. In Val d'Aosta si parla un dialetto franco-provenzale e si usa il francese accanto all'italiano come lingua ufficiale, e in Friuli-Venezia Giulia vivono cittadini di lingua slovena e di lingua tedesca.
Nell'area dolomitica si parla il ladino, lingua derivata dal latino così come l'italiano, il francese, lo spagnolo, il portoghese e il rumeno. Anche la lingua materna del Friuli, il friulano, ha molti elementi ladini.
Ci sono poi isole linguistiche in vari luoghi dove si fermarono, nel corso della storia, gruppi di stranieri o ci furono influenze delle civiltà vicine. Si parlano: l'occitano (come nel Sud della Francia) in paesi della provincia di Cuneo (Piemonte), il catalano nella città di Alghero (Sardegna), il serbo-croato nel Molise, l'albanese e il greco in varie regioni del Sud, fino in Sicilia.

c *Il panorama linguistico del tuo paese o di altri paesi che conosci ha qualcosa in comune con quello dell'Italia? Parlane con alcuni compagni e insieme cercate di trovare somiglianze e differenze.*

'ALMA.tv ▶

Vai su www.alma.tv, nella rubrica *Linguaquiz* e scopri l'origine di alcune parole italiane guardando il videoquiz "Da quale dialetto deriva".

Grammatica e comunicazione

Il passivo con *andare* → 5.13.2

Va detto che la vera pizza è solo napoletana.
Le regole **vanno scoperte**.
La bolletta **va pagata** qui.

andare + participio passato è una costruzione passiva che esprime un'idea di necessità.

I verbi modali al passato prossimo → 5.15

ausiliare *avere*
Non **ho potuto** *consumare* tanto gas.
Ho dovuto *fare* un bonifico.

ausiliare *essere*
Non **sono potuta** *uscire* con gli amici.
Sono dovuta *andare* in banca.

Il passato remoto: le forme

verbi regolari → 5.16.1

	controllare	vendere	eseguire
(io)	controll**ai**	vend**ei**/vend**etti**	esegu**ii**
(tu)	controll**asti**	vend**esti**	esegu**isti**
(lui, lei, Lei)	controll**ò**	vend**é**/vend**ette**	esegu**ì**
(noi)	controll**ammo**	vend**emmo**	esegu**immo**
(voi)	controll**aste**	vend**este**	esegu**iste**
(loro)	controll**arono**	vend**erono**/vend**ettero**	esegu**irono**

verbi irregolari → vedi tabella in terza di copertina

	avere	chiedere	dire	essere	fare	venire
(io)	ebbi	chiesi	dissi	fui	feci	venni
(tu)	avesti	chiedesti	dicesti	fosti	facesti	venisti
(lui, lei, Lei)	ebbe	chiese	disse	fu	fece	venne
(noi)	avemmo	chiedemmo	dicemmo	fummo	facemmo	venimmo
(voi)	aveste	chiedeste	diceste	foste	faceste	veniste
(loro)	ebbero	chiesero	dissero	furono	fecero	vennero

parlare di lingue nazionali e dialetti

Parli un dialetto?
Conosci qualcuno che parla un dialetto?
Io (non) so parlare in dialetto.
Parlo sempre in dialetto con i miei amici.

parlare di problemi burocratici

Ho ricevuto una bolletta del gas sbagliata.
Non è mica la prima volta, mi è già capitato.
Come facciamo con questa bolletta?
Il numero verde purtroppo non funziona.

parlare di trafile burocratiche

Il bonifico va fatto in banca.
Devo andare dal notaio.
Ho reclamato per una bolletta sbagliata.

parlare di lingue minoritarie

In Italia ci sono alcune minoranze linguistiche.
Gruppi di abitanti parlano lingue materne diverse
    dall'italiano.
Le lingue minoritarie sono tutelate dalla
    Costituzione.
In Alto Adige il tedesco è lingua ufficiale come
    l'italiano.
Ci sono isole linguistiche in vari luoghi.

Portfolio

Ora sei in grado di...

	😄	🙂	🙁	📖
parlare di lingue e dialetti	☐	☐	☐	1, 3, 13
parlare di cibo e identità (regionale)	☐	☐	☐	5
formulare prescrizioni	☐	☐	☐	7
riconoscere denominazione e funzione di alcuni uffici pubblici	☐	☐	☐	7
dire che cosa hai dovuto/potuto fare	☐	☐	☐	10
parlare di problemi burocratici	☐	☐	☐	11

Consultare il dizionario

Non è possibile conoscere tutte le parole di una lingua né ricordare sempre tutti i vocaboli studiati. Però ci si può aiutare con un dizionario.

a *Leggi le seguenti voci tratte da un dizionario italiano. Quali informazioni trovi? Parlane con un compagno e completa la tabella delle abbreviazioni.*

genuino (ge-nu-ì-no) agg. **1** naturale, non contraffatto: *Questo vino è assolutamente genuino. I cibi fatti in casa sono più genuini di quelli industriali.* C. Sofisticato. **2** autentico, sincero, spontaneo: *Mi piacciono le persone genuine.* C. falso, ipocrita.

polenta (po-lèn-ta) s. f. cibo preparato cuocendo a lungo e mescolando continuamente farina di granoturco o di grano saraceno in acqua e sale: *Hai mai assaggiato polenta e baccalà?*

(adattato da T. De Mauro/G.G. Moroni, *DIB – Dizionario di base della lingua italiana*, II ed, © Pearson Italia)

sostantivo maschile = s. m. aggettivo = _____ sinonimo = s.
sostantivo femminile = _____ avverbio = avv. contrario = _____
verbo regolare = v. reg. verbo irregolare = v. irreg. verbo riflessivo = v. rifl.

b *Quali dizionari della lingua italiana conosci e/o usi? In quali occasioni li usi (in classe, in vacanza, eccetera)? Guarda la lista, parlane con un compagno e prova a pensare ai possibili vantaggi e svantaggi di questi dizionari.*

dizionario bilingue cartaceo | dizionario monolingue cartaceo | dizionario bilingue online
dizionario monolingue online | dizionario dei sinonimi e contrari | dizionario enciclopedico

c *Pensa al tuo modo di studiare. Quali dei dizionari elencati al punto **b** potrebbero aiutarti di più ad approfondire la conoscenza dell'italiano? Scegli almeno una tipologia e chiedi informazioni ai tuoi compagni e/o all'insegnante.*

Ancora più chiaro 3

Un palinsesto televisivo

1 *Lavori in un'emittente televisiva privata. L'audience delle trasmissioni si è abbassata nell'ultimo periodo. Hai il compito di pensare a una nuova programmazione settimanale o a delle strategie per risolvere il problema. Lavora con tutta la classe. Dividetevi in gruppi di 3-4 persone. Ogni gruppo rappresenta una fascia d'età dei possibili spettatori. Potete ispirarvi alle fasce elencate qui sotto o scegliere liberamente.*

bambini | adolescenti | fascia 20-30 anni | fascia 30-50 anni | fascia 50-70 anni | fascia 70+

2 *Che cosa si può fare per migliorare l'audience? Come impostereste la programmazione per aumentare l'interesse della fascia d'età che rappresentate? Discutetene in gruppo ed elaborate delle proposte tenendo conto delle esigenze della vostra categoria.*

Potete considerare i seguenti punti: tipo di trasmissioni, caratteristiche, durata, orari, pubblicità...

Se volete potete usare la tabella a pagina 128.

3 *Ogni gruppo presenta alla classe la sua programmazione televisiva ideale.*

4 *La classe elabora poi un palinsesto per una settimana "di prova" tenendo conto delle esigenze di tutte le categorie.*

Gioco

Si gioca in gruppi di 3 o 4 persone. Serve un dado per ogni gruppo e una pedina per ogni giocatore.

A turno i giocatori lanciano il dado e avanzano del numero di caselle indicato dal dado.

Se nella casella c'è una domanda, il giocatore A la completa e il giocatore B (alla sua sinistra) risponde. Se la domanda è corretta, il giocatore A può restare dov'è, se non è corretta, torna alla casella di partenza.

Se il giocatore B risponde correttamente, può rilanciare il dado. Se non risponde correttamente, tocca al giocatore successivo.

Se nella casella c'è un esercizio da svolgere, il giocatore deve completarlo; se c'è un'immagine, deve creare una frase appropriata: se non fa errori, può restare dov'è, altrimenti torna alla casella di partenza e il giocatore successivo lancia il dado.

Vince chi raggiunge per primo la casella «ARRIVO».

18
Tre uffici in cui sbrigare pratiche.

19
(io) ero andato
(tu) ...... avuto
(lui) ...... stato

20
ebbi → avere
fui → ......
dissi → ......

33
TORNA ALLA CASELLA NUMERO 26 E STAI FERMO UN GIRO.

21

34
Cosa faresti se ...... al lotto?

22
attore → attrice
presentatore → ......
...... → ...... -ice

PARTENZA

23
Trasmissione ...... a colori/in ......

24
Dante Alighieri è ......

25
capissi → capissimo
dicessi → ......
facessi → ......

1
Tre generi di film.

2
Quali ...... televisivi preferisci?

3
Sedicesimo secolo = ...

4
Il film comincia alle 8, ... ?

5
Se ...... , comprerei un televisore 3D.

17 fossi ....

16 PASSA ALLA CASELLA NUMERO 18 E STAI FERMO UN GIRO.

15 Il varietà è uno ......

14 Che ...... di libri ti piacciono?

13 Tre programmi televisivi.

32 Tre frasi sulla lingua o i dialetti italiani.

31 Le tue abitudini di lettura.

30 Una manifestazione cinematografica.

12 Dove si fanno reclami per una ...... ?

35 Dove si .... in prestito i libri?

ARRIVO

29 In che ...... nacque la lingua italiana?

11 ○ Che cosa è successo mentre venivi al corso?
◆ Mentre venivo al corso ......

26 Tre frasi su un film che ti è piaciuto.

27 TORNA ALLA CASELLA NUMERO 22 E STAI FERMO UN GIRO.

28 Preferisci guardare le emittenti nazionali o quelle ...... ?

10 La pizza va mangiata ...... E il tiramisù? E l'espresso?

6 Quali ...... si possono sbrigare in banca?

7 ○ Pronto, vorrei parlare con Valeria.
■ Sì, ...

8 ...... hai passato il pomeriggio?

9 TORNA ALLA CASELLA NUMERO 1 E STAI FERMO UN GIRO.

Un palinsesto televisivo

➡️ Lista di proposte ⭐ Fascia d'età ___

Tipo di Trasmissioni				
Caratteristiche				
Durata				
Orari				
Pubblicità				

Un viaggio indimenticabile

PARLARE

A: Sei in un aeroporto italiano e non trovi il tuo bagaglio. Guarda le foto,
scegli un bagaglio (senza dire quale) e rivolgiti allo sportello assistenza bagagli.
Spiega il problema, chiedi informazioni e reclama.

Portfolio

COME HO SCRITTO IN ITALIANO	COME DOVEVO SCRIVERE	PERCHÉ HO SBAGLIATO	
		Non conoscevo la regola.	☐
		Ho dimenticato la regola.	☐
		Conoscevo la regola, ma nella mia lingua si dice così e io ho pensato nella mia lingua.	☐
		È stato un errore casuale.	☐
		… …	☐
		Non conoscevo la regola.	☐
		Ho dimenticato la regola.	☐
		Conoscevo la regola, ma nella mia lingua si dice così e io ho pensato nella mia lingua.	☐
		È stato un errore casuale.	☐
		… …	☐
		Non conoscevo la regola.	☐
		Ho dimenticato la regola.	☐
		Conoscevo la regola, ma nella mia lingua si dice così e io ho pensato nella mia lingua.	☐
		È stato un errore casuale.	☐
		… …	☐

9 Donare benessere

B: Lavori da poco al centro benessere dell'Hotel Parco Smeraldo Terme di Ischia.
Lavora con un compagno. Insieme preparatevi a soddisfare le richieste dei clienti.
Esaminate la lista dei trattamenti/pacchetti e pensate a quali potrebbero
essere adatti alle seguenti persone.

- Una persona con un lavoro sedentario, che non ama lo sport e ha spesso mal di schiena.
- Una persona che insegna in un liceo e ha spesso mal di gola.
- Una persona con un lavoro molto stressante, che non riesce a "staccare" e soffre d'insonnia.
- Una persona che deve sempre lavorare molto, che ama il caldo, le pause-relax e le cure di bellezza.

Trattamenti termali

Fango e doccia termale	€ 22,00
Fango e doccia termale con idroterapia termale	€ 27,00
Idroterapia termale	€ 16,00
Inalazione o Aerosol	€ 12,00

Diagnostica

Visita medica	€ 42,00
Visita cardiologica con elettrocardiogramma	€ 100,00

Riabilitazione

Chinesiterapia (20')	€ 35,00
Ionoforesi	€ 25,00
Elettrostimolazione	€ 25,00

Massaggi

Massaggio terapeutico totale (20')	€ 25,00
Massaggio terapeutico parziale (10')	€ 19,00
Massaggio terapeutico speciale (30')	€ 35,00
Massaggio Antistress (60')	€ 75,00
Shiatsu (50')	€ 55,00
Massaggio mix–benessere (60')	€ 75,00
Massaggio hot stone (50')	€ 60,00
Massaggio ayurvedico (50')	€ 65,00
Massaggio aromaterapico totale (45')	€ 65,00
Massaggio anticellulite (20')	€ 33,00

Estetica Viso

Pulizia del viso (45')	€ 38,00
Maschera di fango termale	€ 15,00
Maschera di fango termale con massaggio (30')	€ 30,00
Trattamento viso personalizzato (40')	€ 42,00
Massaggio rilassante viso e décolleté (30')	€ 35,00

Estetica corpo

Massaggio anticellulite (20')	€ 33,00
Peeling corpo (30')	€ 40,00
Trattamento di fango termale anticellulite con massaggio (50')	€ 70,00
Ceretta totale gambe	€ 33,00

(da *www.hotelparcosmeraldo.com*)

Esercizi

1 **a** *Associa ogni disegno al tipo di corso corrispondente.*

corso di diritto ☐ | corso di bricolage ☐ | corso di geografia ☐
corso di scienze naturali ☐ | corso di lingue straniere ☐ | corso di storia ☐

1

2

3

4

5

6

b *Che altri tipi di corsi ti ricordi?*

_____

2 *Combina gli elementi delle tre colonne e forma delle frasi.*

Giulia e Michela	è bravo	in fisica.
Adriano	non riescono	di riparare la macchina da sola.
Fabio e Chiara	sono capace	per la fotografia.
Io	sono negate	a imparare bene il cinese.
Claudia	è portata	per i lavori manuali.

3 *Costruisci sei espressioni con le parole date, come nell'esempio. Sono possibili più soluzioni.*

giardinaggio a riparare
cucire fare un vestito fare
lavorare maglia moto macchina
lavorare uncinetto riparare
all' la la bricolage

cucire un vestito
_____
_____
_____
_____
_____
_____

4 **a** *In ogni riga è nascosto un verbo che è riferito ad attività manuali.*
Ricostruisci le parole, come nell'esempio.

RIEDIGPEN | D | I | P | I | N | G | E | R | E |

TIRSUECOR

MICBAREA

PEADEERNP

TENTEIAIRGG

b *Cecilia e Guido fanno progetti per il fine settimana. Completa le frasi con i verbi del punto **a**.*

O Allora, che cosa facciamo sabato? Una bella gita in montagna?

■ Veramente bisognerebbe _____ una parete della cucina e _____ il tavolo.

    Poi dovresti _____ il quadro in camera da letto.

O Ma la domenica?

■ Fabio vorrebbe _____ il suo modellino d'aereo e ha bisogno di te.

    Devi anche _____ le gomme della macchina.

O Insomma non c'è tempo per la gita.

■ No, ma possiamo guardare un bel film in TV sabato sera!

CD ROM ▶ 01 **5** *Ascolta il dialogo e segna con una "X" se l'affermazione è vera o falsa.*

		vero	falso
1	Veronica è andata in vacanza con i suoi amici.	☐	☐
2	Veronica è portata per la danza e le piace fare sport.	☐	☐
3	Enrico è negato per il ballo.	☐	☐
4	La madre di Veronica è brava a cucire.	☐	☐
5	La madre di Veronica ha vinto un premio.	☐	☐
6	Il padre di Veronica è un esperto di vini e fa il sommelier.	☐	☐

6 Forma i verbi dalle parole date e completa
il cruciverba come nell'esempio.

orizzontali

5 modifica

7 stretto

verticali

1 lungo

2 corto

3 sostituzione

4 riparazione

6 largo

⁷R E S T R I N G E R E

7 Completa il dialogo con le domande o le risposte della cliente.

■ _____

o Buongiorno, mi dica.

■ _____

o Sì, c'è ancora un posto libero nel corso della sera.

■ _____

o Comincia la settimana prossima.

■ _____

o Fino a maggio.

■ _____

o Una volta alla settimana, il giovedì.

■ _____

o Dalle 19.30 alle 21.00.

■ _____

o 8 persone.

■ _____

o 120 euro.

■ _____

o Sì, per studenti e persone sopra i 65 anni costa 100 euro.

■

o Sì, allora sono 100 euro.

8 *Inserisci le forme corrette del pronome relativo.*

che (2) | a cui | con cui | di cui | per cui | in cui

> **Ciao Federico!**
>
> Ho saputo che hai iniziato un corso di fotografia. Com'è?

> **messaggi**
>
> Ciao Giuliano!
>
> È l'idea _____ ti ho parlato quest'estate. Non è un corso per imparare a fotografare, ma per catalogare e ritoccare foto. Il motivo _____ lo voglio frequentare è mettere in ordine le mille fotografie _____ faccio sempre quando sono in vacanza. È una formazione di base, per persone _____ interessa la fotografia come hobby, ma il programma _____ lavoriamo permette di ottenere ottimi risultati. Il corso si svolge nella scuola _____ ho fatto il corso di modellismo l'anno scorso, _____ è vicinissima a casa mia!

9 *Inserisci la preposizione giusta davanti al pronome **cui**.*

1 Pietro è l'amico _____ cui vado più d'accordo.

2 I signori Valli sono i vicini _____ cui lascio sempre le chiavi quando vado via.

3 Il 14 febbraio è il giorno _____ cui si festeggia San Valentino.

4 Come si chiama il medico _____ cui sei andato?

5 Questo è il sito _____ cui ho trovato le informazioni.

6 Vuoi dipingere le pareti? Ecco i colori _____ cui puoi scegliere.

7 Pistoia è la città _____ cui viene Francesca.

8 Guarda! Quello è il libro _____ cui ti parlavo ieri.

10 **a** *Completa le frasi con **che** o **cui** (+ preposizione) e risolvi gli indovinelli.*

1 È un ingrediente di colore giallo _____ si condisce l'insalata: _ _ _ _

2 È il capo di abbigliamento _____ preferisco, _____ ho una bella collezione: di seta, di cotone, a fiori, in tinta unita ...: _ _ _ _ _ _ _ _ _

3 È l'ambiente della casa _____ passo più ore con la mia famiglia: _ _ _ _ _ _

b *Ora continua tu, seguendo gli esempi del punto **a**.*

1 È la parte del corpo _____: occhio.

2 È lo strumento _____: pianoforte.

3 È il mezzo di comunicazione _____: giornale.

11 *Consulta la tabella e trova i corsi adatti alle varie persone.*

a La signora Taddei cerca un corso, possibilmente di pomeriggio.

Le interessano la letteratura e il giardinaggio. _____

b Flavio è uno studente. Ha tempo solo il fine settimana.

Vorrebbe frequentare un corso di teatro. _____

c Giulia e Stefano vorrebbero frequentare un corso insieme dopo il lavoro.

Giulia non ama le attività pratiche e Stefano non è portato per le lingue.

Sono impegnati in ufficio fino alle 19.00. _____

CORSO 1	Viaggio nel romanzo italiano del secondo Novecento.				
	Inizio 16 novembre	**Orario** 19.00-21.00		**Giorno** mercoledì	
CORSO 2	Come usare la voce, collegata con i movimenti del corpo, lo spazio e il testo? Il laboratorio propone un percorso di conoscenza delle tecniche che sono alla base del "diventare attori".				
	Inizio 18 novembre	**Orario** 20.30-22.00		**Giorno** venerdì	
CORSO 3	Un corso per tutti, con o senza preparazione musicale. Il repertorio dei pezzi andrà dalla musica popolare alla musica classica. Portate solo la vostra voce!				
	Inizio 26 ottobre	**Orario** 20.00-21.30		**Giorno** martedì	
CORSO 4	"*Il piccolo principe*", di A. de Saint-Exupéry. Il programma della giornata prevede esercizi di drammatizzazione e recitazione sul tema centrale del testo. Consigliamo la lettura del libro prima dell'inizio del corso.				
	Inizio solo 18 dicembre	**Orario** 9.00-19.00		**Giorno** sabato	
CORSO 5	Il corso è rivolto a tutti e fornirà le conoscenze teoriche di base, utili per ottenere buoni risultati nella coltivazione delle piante in appartamento ed in giardino. Il corso prevede anche momenti di pratica all'aperto.				
	Inizio 18 novembre	**Orario** 15.00-17.00		**Giorno** venerdì	
Corso 6	Per ballerini principianti con tanta voglia di divertirsi. Dalla pizzica alla tarantella: introduzione alle danze tradizionali del Sud Italia.				
	Inizio 25 ottobre	**Orario** 19.30-21.30		**Giorno** lunedì	

12 *Associa ogni proverbio al suo significato.* PROVERBI E MODI DI DIRE

1 Impara l'arte e mettila da parte.

2 Chi la dura la vince.

3 Se fai le cose che hai sempre fatto arriverai dove sei già arrivato.

a Bisogna fare cose nuove per poter migliorare.

b Se impari una cosa nuova potrà sempre servirti in futuro.

c È importante insistere per ottenere dei risultati.

Ripassiamo

13 *Inserisci le forme dei pronomi nelle frasi seguenti.*

> a noi | mi | Le | ti | ~~vi~~ | a me | a lui | gli

1. ■ <u>Vi</u> interesserebbe fare un corso di restauro?

   ○ _____? No, proprio no, siamo negati per l'attività manuale.

   Chiedi a Salvo, forse _____ può interessare.

2. ■ Non _____ piace per niente studiare chimica!

   ○ Perché non _____ piace? _____ sembra una materia così interessante!

3. Signora, _____ posso fare una domanda? Guarda spesso la TV?

4. Luca è veramente pigro: non _____ va neanche di venire con noi al cinema.

Fonetica, ritmo e intonazione

14 L'enfasi

CD ROM ▶ 02

a *Ascolta le frasi e <u>sottolinea</u> le parole più accentuate.*
Poi ascolta di nuovo e ripeti a voce alta.

Sono abbastanza portata per i lavori manuali.

Sono negato per lo sport.

Federica è capace di fare torte bellissime e buonissime.

Non sono molto bravo nel bricolage: non ho proprio pazienza!

CD ROM ▶ 03

b *Ora ascolta le frasi che seguono. Alcune sono pronunciate con enfasi, altre no.*
Segna con una "X" quelle con enfasi e <u>sottolinea</u> le parole più accentuate.
Poi ascolta di nuovo e ripeti a voce alta.

1. La signora Guglielmi è brava a restaurare mobili vecchi. ☐

2. Questo è il corso di cui ti ho parlato. ☐

3. Vorrei seguire un corso di storia. ☐

4. Insegno dall'anno in cui sono andata in pensione. ☐

5. Piera frequenta il corso di filosofia esclusivamente per interesse personale. ☐

Dossier

16 **Scrivi un breve testo su un corso che hai frequentato nel tempo
libero. Dove l'hai frequentato? Quando? Perché?
Che cosa ti è piaciuto di più? Come erano le persone?**

Esercizi

1 *Di quali problemi di viaggio si tratta? Associa gli elementi delle due colonne, come nell'esempio.*

1 Il volo per Palermo delle 15.30 oggi non parte.

2 Il mio bagaglio non è arrivato.

3 Mi hanno consegnato il bagaglio due giorni dopo!

4 La valigia è rotta: non si apre più!

5 Il volo per Milano delle ore 7.00 a causa della nebbia partirà con due ore di ritardo.

a danneggiamento del bagaglio

b maltempo

c smarrimento del bagaglio

d consegna ritardata del bagaglio

e cancellazione volo

2 *Associa gli elementi della prima e della seconda colonna e ricostruisci il dialogo tra il passeggero e l'impiegato.*

Passeggero

1 Buongiorno, scusi, ho un problema.

2 Il mio bagaglio non è arrivato.

3 Eccola!

4 Come non risulta? Ma tu guarda... E allora?

5 Ma io ho bisogno subito del bagaglio!

6 Sì, ma mi dica almeno quando... Domani? Dopodomani? Incredibile!

Impiegato

a Per ora posso solo avviare la pratica di smarrimento.

b Ora controllo. Ha la carta d'imbarco?

c Mi dispiace, la chiamiamo appena abbiamo notizie.

d La registrazione del suo bagaglio non risulta.

e Buongiorno, mi dica.

f Abbia pazienza, cercheremo di fare presto...

3 *Come reagiresti? Rispondi a ogni frase con una delle espressioni della lista. Sono possibili più soluzioni.*

> ti assicuro che... | Ma non è possibile! | Hai ragione, ...
> Capisco | Davvero? | Non ti preoccupare!

1 ■ Anche questa volta Teresa è arrivata in ritardo all'appuntamento: l'ho aspettata quasi un'ora!

  o _____ Non cambia mai!

2 ■ Ho pagato più di mille euro per questa bicicletta.

  o _____ Mi sembra cara!

3 ■ Mio figlio sta facendo per la prima volta un viaggio da solo in macchina.

  o _____ Andrà tutto bene.

4 ■ Il cappello di lana grigio è più adatto al cappotto.

  o _____, ma quello rosso è più allegro e mi piace di più.

5 ■ Hai trovato le chiavi?

  o No, le ho cercate dappertutto, però _____ questa volta non le ho perse io!

6 ■ Ho un fortissimo mal di schiena e devo restare a letto.

    Oggi non posso venire al lavoro, mi dispiace.

  o _____, non preoccuparti, curati e riposati.

4 *Ascolta il dialogo più volte e poi trova gli errori nel seguente testo.*

Il tour del fiume Po è lungo più di 300 km e dura una settimana. Ci vuole una bici da corsa, ma il percorso è pianeggiante. Si parte da Ferrara e si arriva a Ravenna. Le tappe sono di circa 60 km. Il tour è consigliato a chi ama la natura, ma anche a chi preferisce la cultura. In particolare si consiglia la visita all'abbazia di Ravenna. In estate ci sono molte zanzare, è meglio fare il tour in autunno. Bisogna pagare a parte il trasporto del bagaglio.

5 *Inserisci le preposizioni che mancano e indovina di quali città italiane si tratta.*

1 È ____ nord-ovest, ____ una zona montuosa, vicino _____ Francia.

☐ Trento ☐ Aosta ☐ Milano

2 È ____ sud, si trova _____ costa, vicino _____ Sicilia.

☐ Taranto ☐ Napoli ☐ Reggio Calabria

3 È una delle città più ____ est ____ Italia, si trova ____ una zona pianeggiante, non lontana _____ mare.

☐ Lecce ☐ Venezia ☐ Catania

4 È nelle Marche, ____ una zona collinare, ____ posizione panoramica.

☐ Viterbo ☐ Urbino ☐ Pescara

6 *Ricostruisci i cinque verbi all'infinito e completa le frasi con la forma coniugata.*

1 Non voglio portare la mia bicicletta in vacanza, ne voglio _____ una.

2 Vorrei _____ un reclamo per lo smarrimento del bagaglio.

3 Per ora (noi) _____ una pratica, poi Le faremo sapere.

4 La strada _____ il mare.

5 Dopo la discesa si _____ all'entrata del bellissimo parco.

no costeg av giare leggiare gere viare giun tare presen

7 *Descrivi le immagini.*

_____

_____

_____

_____

_____

_____

8 *Trova gli aggettivi derivati dai verbi e il loro contrario, come nell'esempio.*

bere	*bevibile*	*imbevibile*	credere	_____	_____
mangiare	_____	_____	leggere	_____	_____
raggiungere	_____	_____	sopportare	_____	_____

9 *Inserisci nel testo gli aggettivi dell'esercizio 8 nella forma negativa.*

```
⚪⚪⚪                           messaggi
```
Ieri ho fatto un sogno _____.

Andavo in bicicletta in montagna, ma la sommità del monte era _____. Avevo sete
e mi sono fermato a fare uno spuntino, ma l'acqua era _____ e il panino
_____. Faceva un caldo _____. Poi all'improvviso ha cominciato a piovere,
la cartina con il percorso si è bagnata ed è diventata _____. Per fortuna in quel
momento mi sono svegliato.

10 *Che cosa si fa la mattina?*
Coniuga i verbi nella forma impersonale, come nell'esempio.

alzarsi → _____

lavarsi → _____

pettinarsi → _____

farsi la barba → *ci si fa la barba*

truccarsi → _____

11 *Inserisci nel testo i verbi della lista in forma impersonale. Sono possibili più soluzioni.*

○○○   messaggi

Patti72

Conoscete l'iniziativa "Angeli per viaggiatori"?

1   **RobOt**

Sono Roberta, di Napoli e sono un "angelo"! È un'esperienza bellissima, perché amo la mia Napoli e posso così mostrare gli aspetti più interessanti della città.
È facile iscriversi: _____ sul sito, _____ un profilo con dati e interessi e non _____ più fare niente: _____ solo di ricevere un contatto.

2   **Peppone**

Io ho fatto l'esperienza da visitatore e anche per me è stata positiva da tutti i punti di vista.
Se _____ per una città con una persona del posto _____ luoghi meno turistici, _____ alla vita quotidiana dei cittadini, _____ senza perdere tempo e _____ senza problemi in ogni quartiere.

3   **Bdibeppe**

Il vantaggio dell'iniziativa è che _____ una guida su misura.
Se _____ , _____ anche per un aperitivo o un caffè; _____ trovare guide esperte di locali folkloristici o appassionati di calcio.

1
scrivere
aspettare
registrarsi
dovere

2
orientarsi
visitare
partecipare
muoversi
girare

3
volere
scegliere
incontrarsi
potere

12 *I signori De Andrea vogliono prenotare un viaggio in traghetto da Genova fino a Palermo. Completa il modulo per la prenotazione con le informazioni che trovi nel testo.*

Il signore e la signora De Andrea vorrebbero partire da Genova per Palermo il giorno 9 agosto, con il traghetto delle 23.00. Viaggiano con un cane e un gatto. Hanno una Fiat Punto (misure cm 387, 148, 166). Preferirebbero dormire in una cabina.

⊖ ○ ○

TRATTA Genova → [_____]

Data partenza [_____]   **Ora partenza** [_____]

Numero passeggeri [____ ▪]

Viaggi con veicolo? ☐ No ☐ Sì   Tipo: [_____]

Misure in cm: lunghezza [_____]   altezza [_____]   larghezza [_____]

Scegli la sistemazione (obbligatoria)

Poltrona [___ ▪]   Cabina esterna 2 letti [___ ▪]

Cabina esterna 4 letti [___ ▪]   Cabina interna 4 letti [___ ▪]

Animali

Cani ☐ No ☐ Sì   Gatti e animali di piccola taglia ☐ No ☐ Sì

---

13 *Completa i modi di dire con il verbo giusto.*   PROVERBI E MODI DI DIRE

| promettere | mandare | muovere |

_____ mari e monti = fare grandi promesse

_____ mari e monti = fare di tutto per ottenere qualcosa

_____ a monte = impedire la realizzazione

Ripassiamo

14 a *Inserisci le forme corrette dei verbi al condizionale.*

1 *(Io-volere)* _____ andare a Venezia sabato, *(tu-avere)* _____ voglia di venire?

2 *(Noi-dovere)* _____ cambiare le ruote della macchina.

3 *(Voi-potere)* _____ organizzare un viaggio in barca a vela quest'estate.

4 Dario e Sonia *(fare)* _____ volentieri un viaggio in America, ma prima devono risparmiare.

b *Inserite le parole mancanti. Sono possibili più soluzioni.*

1 Per andare in bicicletta da Ferrara a taglio di Po _____ più di due ore.

2 Hai già visitato _____ città qui nei dintorni?

3 Oggi il treno è arrivato perfett _____ in orario.

4 Per andare a Bologna con il treno delle 16.22 _____ cambiare a Firenze?

Fonetica, ritmo e intonazione

CD ROM ▶ 05

15 Sorpresa, dispiacere e protesta

a *Nelle frasi seguenti le persone esprimono sorpresa, si scusano o protestano?
Segna con una "X" la risposta giusta.*

	1	2	3	4	5	6
sorpresa	☐	☐	☐	☐	☐	☐
dispiacere	☐	☐	☐	☐	☐	☐
protesta	☐	☐	☐	☐	☐	☐

CD ROM ▶ 06

b *Ora ascolta le seguenti frasi e ripetile con la giusta intonazione.*

Non posso volare a causa di overbooking?! Ma io devo essere a Milano oggi!

Il mio bagaglio arriva con il volo di domani? Ma tu guarda!

Mi dispiace... abbia pazienza...

Come "è stato cancellato il volo"?

Dossier

16 Scrivi un breve testo su un viaggio che hai fatto e che ti è piaciuto particolarmente.
Descrivi la posizione geografica della zona visitata, le bellezze culturali e/o naturali,
le specialità gastronomiche del luogo, eccetera.

Esercizi

1 *Leggi il testo e segna con una "X" se le affermazioni sotto sono vere o false.*

Mi chiamo Antonio e sono nato nel 1936.
I miei genitori, che erano di origine contadina, abitavano nella parte vecchia di una città di provincia.
Mio padre non aveva un posto sicuro, lavorava "a giornata" per il Comune. Insieme ad altri operai riparava le strade, che in quell'epoca erano quasi solo per pedoni.
Era un lavoro duro e poco pagato. D'inverno, quando il tempo era brutto e non si poteva lavorare all'aperto, non guadagnava.
Anche mia madre doveva lavorare, per poter permettere a me e mio fratello di continuare a frequentare la scuola. Si occupava di pulire e tenere in ordine la casa di una famiglia di ricchi commercianti della città.
Io e mio fratello godevamo di molta libertà perché potevamo passare il nostro tempo libero lungo le strade della città. Le macchine non rappresentavano certo un pericolo: erano pochissime e passavano solo sulla via principale.
L'educazione in casa era rigidissima. Mio padre non alzava mai la voce, ma noi figli sapevamo che non si poteva discutere con lui.
Mi piaceva andare a scuola, anche se non studiavo molto.
Dopo le lezioni o in estate facevo dei piccoli lavori per poter avere qualche soldo da spendere con gli amici. Portavo bibite per un bar, facevo il muratore insieme a mio padre, tinteggiavo pareti, riparavo mobili, insomma un po' di tutto.
Ho un diploma di scuola superiore, ma purtroppo non ho potuto frequentare l'università perché non c'era nella città in cui vivevo.
Il mio primo posto fisso è stato l'impiego in banca nel 1960, che è stato il lavoro di tutta la mia vita fino al 1997, quando sono andato in pensione.

		vero	falso
1	I genitori di Antonio erano nati in città.	☐	☐
2	Il padre di Antonio lavorava all'aperto in estate e in inverno.	☐	☐
3	La madre di Antonio era commerciante.	☐	☐
4	Quando Antonio era piccolo non c'era traffico.	☐	☐
5	I genitori di Antonio erano severi.	☐	☐
6	Antonio è laureato.	☐	☐
7	Antonio ha cambiato lavoro spesso.	☐	☐
8	Antonio ha lavorato in banca per 37 anni.	☐	☐

2 *Trasforma le frasi nella forma impersonale, come nell'esempio.*

1 Io ero molto più libero di giocare all'aperto dei bambini di oggi.

   Si era molto più liberi di giocare all'aperto dei bambini di oggi.

2 A 20 anni lavoravamo già, ma non eravamo indipendenti.

_____

3 Quando ero giovane obbedivo ai genitori.

_____

4 Quando diventiamo adulti abbiamo molte più responsabilità.

_____

5 Oggi siamo molto più comprensivi con i figli.

_____

6 Quando sei bambino ascolti volentieri i racconti dei nonni.

_____

3 **a** _Ricostruisci gli aggettivi, come nell'esempio._

aper   com   tuoso   ~~alle~~   ~~gro~~   se   affet   missivo

    sivo   autori   appren   pa   per   vero   tario   prensivo   ziente

           to

allegro, _____

b _Ecco delle risposte alla domanda "Come sono i vostri nonni?"_
Associa ad ogni risposta uno o più aggettivi del punto **a** che corrispondono alle descrizioni.
Sono possibili più soluzioni.

messaggi

1

Ciao, mi chiamo Lorella. I miei nonni sono due tesori. D'estate trascorro qualche settimana con loro sul Lago Maggiore. Quando sono lì non ho regole: vado a dormire tardi e mi alzo quando voglio. La nonna cucina tutti i miei piatti preferiti e per la merenda mi prepara delle torte da sogno. Papà racconta che quando lui era giovane i suoi genitori (cioè i miei nonni) erano severi, ma per me è difficile immaginarli così! _____

2

Nonna Ninetta è una nonna speciale: conosce tutto il quartiere, ama chiacchierare con i vicini, saluta dal balcone i bambini in cortile, e sa ridere di tante piccole cose; ma ha anche un carattere molto forte e deciso: in casa ha sempre comandato lei con i figli, ne ha 6, tutti maschi.

_____

3

Mio nonno materno si chiama Tunìn, che in dialetto ligure è un soprannome per Antonio. Ha lavorato tutta la vita in campagna, faceva il contadino e ora che è vecchio ama restare seduto su una grande pietra vicino a casa e osservare i prati e le colline. Resta immobile anche per ore. I nipoti più piccoli giocano lì intorno, fanno rumore, ma lui non si arrabbia mai.

_____

4

La nonna Piera si preoccupa sempre di tutto: secondo lei mangiamo e dormiamo troppo poco, guidiamo troppo velocemente, non siamo abbastanza prudenti quando facciamo sport, ecc. ecc. ma è anche la nonna più dolce del mondo. Quando andiamo a trovarla ci abbraccia stretti e ci bacia e poi ci guarda negli occhi e ci dice: "Che bei nipoti che ho: vi mangerei di baci!"

_____

4 *A casa di Clara. Forma delle frasi, come nell'esempio.*

1 Luciano   cambiare una ruota   Sonia, la zia di Clara   lavorare in giardino

Mentre Luciano cambiava una ruota, Sonia, la zia di Clara, lavorava in giardino.

2 Clara   lavare i piatti   Alessandra, la nonna   cucinare il ragù

_____

3 Gabriele, il figlio più grande di Clara   giocare con il cane   Gianpiero, suo cugino   studiare inglese

_____

4 Sara, la sorella di Clara   pulire il frigorifero   Teresa, sua cognata   lavare la macchina

_____

5 Giulio, il nonno   navigare in Internet   Angelo, suo genero   riparare la bicicletta

_____

5 *Completa le frasi con le parole della lista.*

compagno | fidanzato | ragazzo | divorziati | suoceri | ex ragazzo

1 Sandro e Tania sono stati sposati ma ora non lo sono più, sono _____.

2 Gianni è il _____ di Giada, si sposeranno a settembre.

3 Chiara vive nella stessa casa in cui abitano anche i genitori del marito,

   ma non le piace abitare con i suoi _____!

4 Fabio è il _____ di Angela. Convivono già da qualche anno.

5 ■ Simone è un tuo compagno di scuola?

   ○ No, è il mio _____! Stiamo insieme da più di un mese.

6 ■ Filippo è il ragazzo di Marta.

   ○ Vuoi dire il suo _____! Si sono lasciati la settimana scorsa.

6 *Ascolta i dialoghi tra un'impiegata di un'agenzia immobiliare e due clienti e segna con una "X" se l'affermazione è vera o falsa.*

		vero	falso
1	Il signor Valli preferisce vivere in centro.	☐	☐
2	Il signor Valli vive con i due figli adolescenti.	☐	☐
3	Il signor Valli cucina volentieri.	☐	☐
4	La badante è una persona che lavora per la famiglia e si occupa degli anziani.	☐	☐
5	Livia ama vivere in città.	☐	☐
6	L'appartamento che Donatella propone a Livia è al primo piano.	☐	☐

7 *Inserisci le risposte delle coppie e di Loredana nelle caselle corrispondenti.*

a Poche leggi che tutelano i diritti dei figli per coppie come la nostra.

b Perché ci si vuole bene.

c Dovrei trovare il partner giusto.

d Perché il matrimonio è solo un pezzo di carta.

e Nessuno.

f Posso decidere tutto da sola.

g Ho già fatto l'errore una volta.

h Sapere che stiamo insieme perché lo vogliamo davvero.

Domande	Coppia sposata	Coppia di fatto	Single
	Claudia e Edoardo, coniugati dal 1996, un figlio	Patrizia e Silvano, conviventi dal 2000, due figlie	Loredana, divorziata dal 2005
1 Un motivo per sposarsi?		Non l'abbiamo ancora trovato!	
2 Un motivo per non sposarsi?	Nessuno.		
3 Un aspetto positivo della vostra situazione?	La sicurezza.		
4 Un aspetto negativo?			Vivere da soli è più costoso.

8 *Completa il cruciverba con i verbi al congiuntivo presente.*

orizzontali

3 capire *(tu)*

6 fare *(noi)*

8 essere *(lui)*

verticali

1 fare *(loro)*

2 volere *(tu)*

4 avere *(io)*

5 essere *(voi)*

7 capire *(voi)*

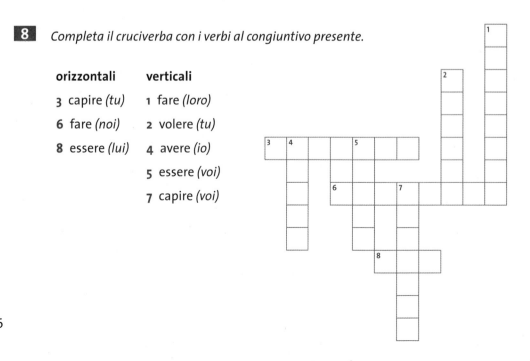

9 *Completa le frasi con i verbi della lista al congiuntivo presente.*

> potere | volere | avere | essere | capire | vivere | fare

---

messaggi

JoJo

Ho bisogno di un consiglio! Ho finito la scuola e ora vorrei fare un viaggio con le mie amiche. Vorremmo girare l'Europa in macchina, magari arrivare fino in Turchia, ma i nostri genitori sono assolutamente contrari. Cosa possiamo fare?

Sabri '70

Penso che _____ una bellissima idea e riuscirete sicuramente a convincere i vostri genitori. Secondo me dovreste andare in treno, credo che _____ essere un buon compromesso.

Nanù

Non penso che Sabri _____ ragione. Siete troppo giovani, credo che _____ solo sentirvi libere, ma che non _____ le preoccupazioni dei vostri genitori.

Matti '91

Il mio consiglio? Fatelo, fatelo, fatelo! Credo proprio che i vostri genitori _____ tante storie e _____ tutta la cosa in modo troppo apprensivo.

---

10 *Completa le frasi con le opinioni delle persone.*

Luca: È meglio non essere troppo permissivi con i figli.

Francesco: La severità fa parte dell'educazione!

Paola: I ragazzi oggi hanno troppa libertà.

Giuliana: I buoni genitori capiscono i bisogni dei figli.

1 Luca pensa che _____

2 Per Francesco _____

3 Paola crede che _____

4 Secondo Giuliana _____

Laura e Sergio:
I genitori ideali
sono aperti e non
autoritari.

Alessandra:
Gli adulti vogliono
sempre controllare
tutto!

5 Per Laura e Sergio _____

6 Alessandra pensa che _____

11 *Nell'esercizio 10 le persone hanno opinioni diverse. Rileggile e completa le frasi.*

1 Francesco pensa che _____ , mentre Giuliana crede

che _____

2 Per Luca _____ , mentre Laura e Sergio pensano

che _____

3 Secondo Paola _____ , mentre per

Alessandra _____

12 *Rispondi alle seguenti domande.*

1 Che cosa significa "amica del cuore"?   _____

2 Che cosa significa "sorella minore"?   _____

3 Che cosa significa "nonno paterno"?   _____

13 *Cosa significano le seguenti frasi?*
Segna la risposta giusta con una "X".

PROVERBI E MODI DI DIRE

1 **Salvo ha perso completamente la testa per Marina.**

a Salvo è un buon amico di Marina. ☐

b A Salvo Marina non è simpatica. ☐

c Salvo è innamorato di Marina. ☐

2 **Silvia si è messa in testa di sposarsi entro Natale.**

a Silvia vorrebbe sposarsi prima di Natale. ☐

b Silvia ha deciso che si sposerà sicuramente prima di Natale. ☐

c Silvia non si sposerà prima di Natale. ☐

Ripassiamo

CHIARO! A2, LEZIONE 3

14 *Inserisci nel testo le forme corrette dei verbi della lista all'imperfetto. Puoi usare i verbi più volte e sono possibili più soluzioni.*

essere | usare | andare | frequentare | portare | fare | viaggiare

1 Nella prima metà degli anni Novanta si _____ le gonne strette e corte. L'abbigliamento _____ provocante, molto elasticizzato.

2 Negli anni Ottanta Ottavia _____ il liceo. _____ una ragazza come tante altre, il sabato sera _____ in discoteca con gli amici.

3 Trent'anni fa per telefonare si _____ in cabina e le ricerche si _____ in biblioteca.

4 Negli anni Sessanta non si _____ molto la macchina, ma si _____ di più in treno.

Fonetica, ritmo e intonazione

15 **Le frasi conclusive e continuative**

In una "frase conclusiva" la persona che parla comunica con l'intonazione che ha finito di parlare.

In una "frase continuativa" la persona che parla indica con l'intonazione che vuole ancora dire qualcosa.

a *Ascolta queste frasi e fai attenzione all'intonazione.*

Frase conclusiva   Secondo me sono affari suoi.

Frase continuativa   Lei pensa che i ragazzi in realtà capiscano il problema...

b *Ora ascolterai sei frasi, pronunciate con le due diverse intonazioni. Segna con una "X" di che tipo di intonazione si tratta.*

	1	2	3	4	5	6
Frase conclusiva	☐	☐	☐	☐	☐	☐
Frase continuativa	☐	☐	☐	☐	☐	☐

Dossier

16 Scrivi un breve testo sul rapporto tra genitori e figli nella tua famiglia.

17 Esprimi la tua opinione sul tema "convivenza e coppie di fatto".

Esercizi

1 *Associa gli elementi delle due colonne.*

1 Sono le due e Matteo non è ancora rientrato.

2 Da quanto tempo sono sposati Guido e Lucia?

3 Chi state aspettando?

4 Vado a fare un po' di spesa. Hai bisogno di latte?

5 Da quando si conoscono Gianna e Marcella?

a Non so più esattamente, ma saranno 10 anni. Sono amiche dai tempi dell'università.

b No, grazie: ne avrò ancora due litri nel frigorifero.

c Non preoccuparti! Si starà divertendo con i suoi amici.

d Sarà almeno un anno, perché a Natale sono andata a trovarli nella casa nuova.

e Silvia: come al solito starà cercando un parcheggio.

2 *Ecco i commenti e le ipotesi di due amiche invitate a un matrimonio. Completa le frasi, come nell'esempio.*

■ Marta, secondo te chi è quel ragazzo biondo a destra dello sposo?

o *(Essere)* _Sarà_ suo fratello.

■ Quanti anni *(avere)* _____?

o Ma, non so, *(potere)* _____ averne 30...

■ Pensi che quei signori alti dietro di loro siano i suoceri dello sposo?

o No, *(essere)* _____ i suoi genitori.

■ E la sposa dov'è?

o *(stare)* _____ arrivando...

■ Credi che sarà puntuale?

o No, probabilmente *(arrivare)* _____ un po' in ritardo, come tutte le spose ...

■ E il viaggio di nozze? Sai dove lo fanno?

o Magari *(andare)* _____ in Brasile: si sono conosciuti lì.

3 *Completa il cruciverba con gli aggettivi collegabili alle parole date, per esempio: dolcezza → dolce.*

ANCORA PIÙ LESSICO

orizzontali	verticali
2 saggezza	1 pazienza
5 fedeltà	3 affidabilità
8 sincerità	4 gentilezza
9 debolezza	6 timidezza
	7 tristezza

4 *Leggi i ritratti. Quali persone potrebbero essere amiche?*

Edoardo

Sono un uomo a cui piace viaggiare, mi interessano le lingue (ne parlo 4) e sono affascinato dalla cultura indiana. Qualche mio amico mi trova troppo complicato, ma credo che non sia vero. Ho debolezze e punti di forza, come tutti, sono impaziente, ma anche molto fedele, socievole, ma qualche volta troppo diretto.

Emanuela

Ho 46 anni e nella vita faccio la commessa. Sono separata da qualche mese e sto cercando amici per uscire un po' la sera. Sono aperta e sincera, amo il ballo, le feste e tutto quello che mi può fare ridere. Per me la forma fisica è davvero importante, quindi faccio molto sport e mangio cibi sani e leggeri.

Roberta

La mia passione sono le vacanze di ogni tipo, in ogni paese, con ogni mezzo! Partirei anche subito! Adoro scoprire posti esotici, sentire lingue sconosciute e fare esperienze fuori dal normale. Vorrei trovare amici con cui condividere questo interesse e iniziare una nuova avventura.

Tiziana

Sono una persona indipendente, dolce ma decisa, amo le cose belle e vere, la sincerità e la semplicità. Mi piace uscire, andare a teatro, al cinema, ma non mi dispiace neanche rimanere a casa e rilassarmi o andare in palestra. Sono innamorata della vita e sempre piena di entusiasmo e buon umore.

Pietro

Sono appena arrivato in città e cerco amici. Sono comprensivo e sempre disponibile ad ascoltare. Mi piace leggere, amo la fotografia e credo che una buona cena fatta in casa e un ottimo bicchiere di vino possano consolare anche l'amico o l'amica più triste.

Fanny

Sono francese, in Italia da 2 mesi. Conosco ancora poche persone qui e mi piacerebbe fare amicizia, anche per migliorare il mio italiano. Sono un po' timida e non amo molto stare in mezzo a tanta gente, ma sono un'amica affidabilissima. Adoro l'arte, la musica e la cucina italiana!

5 *Unisci gli elementi della lista **a** con quelli della lista **b** e forma delle risposte, come nell'esempio. Sono possibili più soluzioni. Attenzione: inserisci in ogni frase anche il pronome giusto, se necessario.*

a stare male | ~~essere triste~~ | non sapere che cosa fare
avere bisogno di un'opinione | essere solo/a | raccontare un segreto

b dare un consiglio | dire tutto quello che pensa | stare vicino
~~consolare~~ | fare compagnia | sapere mantenere

Che cosa fa un buon amico? _Se sono triste, mi consola._

_____

_____

_____

_____

_____

6 *Leggi i suggerimenti per trovare amici e completa le frasi con la parola o l'espressione giusta tra le tre proposte sotto.*

Che cosa bisogna fare per trovare un amico.

Cercare di capire da subito _____ **(1)** si vuole. Ne cerchi uno per organizzare insieme serate in discoteca, per fare shopping o per parlare del più e del meno? O desideri una _____ **(2)** su cui piangere o ridere? Se sai cosa vuoi, è più facile trovarlo. Associazioni, palestre, club, corsi, tutto ti può aiutare, anche il web, naturalmente.

Uscire con i colleghi di lavoro. Frequentare le persone con cui si _____ **(3)** la maggior parte della giornata è la cosa più semplice. L'aspetto positivo è che si hanno molte cose in comune e si _____ **(4)** temi di conversazione. L'aspetto negativo è che si rischia di parlare solo di quello che succede sul lavoro.

Evitare i tipi difficili. Anche se hai voglia di fare amicizia velocemente evita da subito le persone negative, quelle che ti creano difficoltà dall'inizio e che cercano in te solo la persona affidabile, fedele e _____ **(5)** perché li sa consolare.

Non frequentare sempre e solo i "vecchi" amici. Rimanere sempre tra le stesse persone può bloccare la nascita di amicizie. Sii aperto a conoscere una persona nuova anche in luoghi o momenti in cui non lo immagineresti. Invita un compagno di studi o un collega al bar: scambiare due _____ **(6)** davanti a una tazzina di caffè può aiutare a conoscersi meglio.

1	**a** perché	**b** quello che	**c** quelli
2	**a** spalla	**b** gamba	**c** braccia
3	**a** lascia	**b** corre	**c** trascorre
4	**a** dividono	**b** condividono	**c** consumano
5	**a** comprensiva	**b** assente	**c** simpatica
6	**a** numeri	**b** persone	**c** parole

7 *Ecco alcune opinioni sulle reti sociali. Metti in ordine le frasi e coniuga il verbo tra parentesi nella forma corretta, come nell'esempio.*

1 Mi *(realizzare)* di connettersi che delle persone. sembra i social network il bisogno

   Mi sembra che i social network realizzino il bisogno di connettersi delle persone.

2 Credo i social network *(favorire)* mondiale a tutti i livelli. la comunicazione che

   _____

3 un valore. per la generazione Secondo genitori la privacy ancora me dei nostri *(rappresentare)*

   _____

4 di decidere i social network. Credo *(avere)* la libertà come tutti usare che

   _____

5 dei social network. aspetti positivi molti Penso nell'uso *(esserci)* che

   _____

8 *Marta sta partendo per un viaggio di lavoro e ha lasciato un promemoria per ogni membro della famiglia. Con le informazioni date scrivi delle frasi, come negli esempi.*

Fabio:
preparare a Giorgio la merenda da portare a scuola ✔
comprare il pane per la cena
accompagnare Giorgio a calcio
non mandare a letto i ragazzi troppo tardi ✔

Milena:
non stare al computer più di un'ora
andare a prendere Giorgio a calcio
mettere in ordine la camera

Giorgio:
fare i compiti
non guardare la TV più di mezz'ora
ricordarsi di preparare la borsa per il calcio

Marta vuole che...

Fabio prepari a Giorgio la merenda da
portare a scuola.

_____

_____

_____

Marta non vuole che...

Fabio mandi a letto i ragazzi troppo tardi.

_____

_____

_____

9 *Associa le espressioni della lista alle frasi sotto. Sono possibili più soluzioni.*

Perché scusa? | Eh beh, ma è un'altra cosa... | Ma no, perché?!
È vero. Hai ragione. | Ma dai! Non ci credo! | Ma va!? Sul serio?!

1 ■ Ieri Luciano ha chattato con una sua amica per 5 ore!

○ _____

2 ■ Tu usi il computer più di me, papà!

○ _____ , io lo uso per lavoro!

3 ■ Ma quando finirai di stare seduta davanti a quello schermo?

○ _____

4 ■ Non ti sembra strano non potere parlare realmente con i tuoi amici?

○ _____

5 ■ Un ragazzo per mezzo di un social network ha invitato più di 500 persone alla sua festa di compleanno.

○ _____

6 ■ Anche voi genitori avevate amici lontani che non vedevate mai.

○ _____

4

10 *Forma delle frasi, come nell'esempio.*

1 Lia e Martina   mangiare   guardare la TV

Lia e Martina mangiano guardando la TV.

2 *(io)*   cucinare   chiacchierare al telefono con la mia amica Annamaria

_____

3 Marco e Lucia   raccontarsi la loro giornata   tornare a casa

_____

4 Luigi   ripassare i vocaboli di spagnolo   viaggiare in metropolitana

_____

5 Teresa   stirare   ascoltare le notizie alla radio

_____

6 Matteo   disegnare   seguire il suo programma preferito

_____

11 *Descrivi le vignette, come nell'esempio.*

_____ *Sergio canta guidando.* _____

_____

_____

_____

_____

_____

12 *Cosa vedi nella foto? Descrivi le persone, il luogo, fai supposizioni sul motivo dell'incontro, eccetera.*

Nella foto ci sono...

_____

_____

_____

_____

_____

_____

_____

_____

_____

_____

om▶10 **13** *Ascolta l'intervista sul tema "L'amicizia ai tempi dei social network"*
e poi segna con una "X" le affermazioni vere.

1 Francesca usa i social network

☐ perché vive lontano dalla città.
☐ perché si diverte.
☐ per essere come i suoi amici.

2 Francesca

☐ ha 500 amici virtuali.
☐ ha più di 500 amici virtuali.
☐ non sa esattamente quanti amici ha.

3 Per Francesca le amicizie virtuali sono importanti perché

☐ c'è sempre qualche amico connesso in rete.
☐ si possono mantenere contatti con amici lontani.
☐ si conoscono persone nuove.

4 I social network servono a Francesca anche per

☐ sentire le notizie.
☐ scambiare informazioni.
☐ organizzare incontri.

14 *Che cosa significano le frasi seguenti?*
Segna la risposta giusta con una "X".

PROVERBI E MODI DI DIRE

1 **Gli amici si contano sulla punta delle dita.**

a Bisogna avere pochi amici. ☐

b Non è facile avere tanti buoni amici. ☐

c Non bisogna avere più di 10 amici. ☐

2 **Sono amico di tutti e schiavo di nessuno.**

a Nessuno mi può dire che cosa devo fare. ☐

b Ho tanti amici e non ho nemici. ☐

c Ho tanti amici, ma sono libero di fare quello che voglio. ☐

*Chi trova un amico
trova un tesoro.*

Ripassiamo

CHIARO! A2, LEZIONE 4

15 **a** *Inserisci nel testo le forme corrette dei verbi della lista all'imperfetto o al passato prossimo.*

diventare | avere | conoscere | conoscersi | piacere | essere (2) | trovare

(Io) _____ Simona, la mia migliore amica, il primo anno del liceo. *(Noi)*

_____ in classe insieme. All'inizio veramente non mi _____ per niente:

(io) la _____ troppo chiusa e riservata. Sua sorella, invece, che _____ un anno in più

_____ una ragazza simpaticissima, molto aperta e conosciuta in tutta la scuola. Quando Simona

e io _____ meglio, però, _____ inseparabili.

b *Rispondi alle domande, come negli esempi.*

1 Quali strumenti si suonano con la bocca?   Il clarinetto, _____
2 Dove si può suonare o cantare?   In un'orchestra, _____
3 Quali strumenti si suonano con le mani?   La batteria, _____
4 Quali tipi di musica conoscete?   La musica classica, _____

Fonetica, ritmo e intonazione

CD ROM ▶ 11 **16**   **Esprimere incredulità**
*Con l'intonazione si può rafforzare l'intensità di una frase che
esprime incredulità. Prova a ripetere le frasi riproducendo l'intonazione.*

Ma dai! Non ci credo! Non puoi avere 60 anni!

Fulvio è nato e cresciuto in Argentina? Ma va!? Sul serio?!

Davvero non hai un profilo su Facebook?

Ma come cavolo sono arrivati tutti questi messaggi da persone sconosciute?

Conosci veramente tutti i tuoi amici virtuali?

Dossier

17   Descrivi brevemente un tuo amico: caratteristiche fisiche, carattere, interessi...

18   Scrivi un breve testo sulle tue abitudini riguardo ai social network:
quando li usi e perché? Hai amici virtuali?

Test Unità 1-4

Segna la risposta corretta con una "X".

1 Matteo è bravo ...... disegnare ed è portato ...... i lavori manuali.

- ☐ per
- ☐ a
- ☐ per
- ☐ a
- ☐ in
- ☐ in

2 Non so ...... all'uncinetto, ma sono capace di ...... una gomma.

- ☐ lavorare
- ☐ cucire
- ☐ cucire
- ☐ cambiare

3 La ragazza è capace di ...... le foto al computer.

- ☐ ritoccare
- ☐ tinteggiare
- ☐ restaurare

4 Il corso di ballo ...... mi sono iscritta inizia lunedì prossimo.

- ☐ da cui
- ☐ che
- ☐ a cui

5 Marta è la collega ...... ho frequentato il corso di montaggio video.

- ☐ che
- ☐ con cui
- ☐ di cui

6 Se hanno smarrito il tuo bagaglio puoi ...... un reclamo.

- ☐ avviare
- ☐ presentare
- ☐ attendere

7 Mi scusi, la pratica che vuole avviare è per ...... o smarrimento del bagaglio?

- ☐ cancellazione
- ☐ ritardo
- ☐ danneggiamento

8 La città di Milano si trova in una ...... pianeggiante.

- ☐ zona
- ☐ costa
- ☐ montuosa

9 Il sentiero è faticoso, perché è tutto ...... , ma la vista dalla cima del monte è davvero ......

- ☐ in discesa
- ☐ in salita
- ☐ diritto
- ☐ irraggiungibile
- ☐ indimenticabile
- ☐ visitabile

10 In una città che non si conosce ...... facilmente.

- ☐ si perde
- ☐ si perdono
- ☐ ci si perde

11 Quando si era ...... non si aveva molta libertà come oggi.

- ☐ adolescenti
- ☐ adolescente

12 Mentre la nonna ...... la merenda, Emma ...... in giardino.

- ☐ preparava
- ☐ ha preparato
- ☐ giocava
- ☐ ha giocato

13 Livia e Luca sono ...... da più di 5 anni, ma non vogliono ancora sposarsi.

- ☐ suoceri
- ☐ fidanzati
- ☐ separati

14 Non credo che tu ...... il problema veramente. Penso che tu ......

- ☐ capisci
- ☐ capivi
- ☐ capisca
- ☐ stai sbagliando
- ☐ stia sbagliando
- ☐ sbagliando

15 Pensate che ci ...... più di due ore per andare al mare? Credete che ci ...... traffico oggi?

- ☐ volevano
- ☐ vogliono
- ☐ vogliano
- ☐ sei
- ☐ sia
- ☐ era

16 ■ Secondo te quanti anni ...... l'insegnante?
● Mah, almeno 40.

- ☐ avrà
- ☐ abbia
- ☐ ha avuto

17 Un amico che ci capisce è ...... e uno che merita la nostra fiducia è ......

- ☐ comprensivo
- ☐ saggio
- ☐ fedele
- ☐ inseparabile
- ☐ affidabile
- ☐ presente

18 Non ti sembra che Alessandro ...... troppo tempo al computer?

- ☐ trascorri
- ☐ passi
- ☐ stai

19 ● Credi che Sara ...... molti amici virtuali?
■ Ne ha certo più di mille!
● No! Non ...... credo!

- ☐ ha
- ☐ avrà
- ☐ abbia
- ☐ gli
- ☐ mi
- ☐ ci

20 Il ragazzo segue la conversazione ...... la tv.

- ☐ guardato
- ☐ guarda
- ☐ guardando

Esercizi

Compito ripasc condizionale presente

1 *Leggi i seguenti testi e inserisci le parole della lista.*

fanghi | visita medica | piscina | inalazioni | dieta
trattamento | palestra | massaggi | circolazione

Hotel Garden Terme
WEEK END da sogno

Il pacchetto comprende:
- 1 pernottamento in camera
  doppia standard
- 1 idromassaggio per
  la _circolazione_
- 1 _trattamento_ estetico

Hotel Baia Azzurra
SETTIMANA RELAX

Un ritorno in forma tonificati e rilassati
7 notti in camera doppia standard
in mezza pensione
- 5 _inalazioni_ con acqua termale
- 5 _massaggi_ alla schiena
Libero accesso alla _piscina_ di acqua
di mare.

Hotel Panorama
SETTIMANA BENESSERE BELLEZZA

Visita _medica_ inclusa nella quota.
Dieta personalizzata con consigli
di alimentazione
3 massaggi seguiti da _fanghi_
5 sessioni di un'ora con il nostro trainer
  per attività di gruppo in _palestra_ ,
  piscina o nel parco dell'hotel.

2 *Ecco il dialogo tra due amiche durante la pausa caffè in ufficio.*
Inserisci le risposte di Daniela nell'ordine giusto, come nell'esempio.
Sono possibili più soluzioni.

batluta
lo que se
dice en
un dialogo

✓1 Ma sarà molto caro...
2 Dici?
3 Ma sei sicura? Non è un problema se vengo anch'io?
4 E come faccio a rilassarmi con questo lavoro?
✓5 Beh, non saprei...
✓6 E che trattamenti offrono?
✓7 Ma non saprei proprio con chi andare...
✓8 Beata te! Io vorrei dormire per due giorni. Sono stanca,
  ho mal di testa, mal di schiena, insomma un disastro! ✓

■ Ciao Silvia! Come va?

○ Ciao Daniela. Bene! Sto già pensando al prossimo fine settimana. Parto di nuovo per le terme!

■ _Beata te! Io vorrei dormire per due giorni. Sono stanca, ho mal di testa, mal di schiena,_
  insomma un disastro!

○ Ma allora perché non provi a rilassarti un po'?

■ _E como faccio a rilassarmi con questo lavoro?_

○ Vai anche tu alle terme!

■ _Beh non sapei Non é un ..._

○ Io ci sono già stata un paio di volte con delle amiche e sono tornata in ufficio rigenerata! Prova!

■ _Dici?_

o Il mese scorso siamo state tre giorni in Toscana, in un wellness hotel:
mi sono riposata di più che in una settimana di vacanza.

■ _Ma sarà molto caro_

o No... Cerchiamo sempre delle offerte in rete e prenotiamo dove costa di meno.
Per ora abbiamo sempre avuto fortuna.

■ _E che trattamenti offrono?_

o C'è di tutto: bagni termali, area relax, massaggi alle mani e ai piedi... Dai, prova!

■ _Ma non saprei proprio con chi andare_

o Vieni con noi! Se vuoi provo a prenotare anche per te.

■ _Ma sei sicura? Non è un problema se vengo anch'io?_

o Ma figurati!

3 Trova una domanda per le risposte seguenti. Usa verbi e sostantivi delle liste per formulare le domande, come nell'esempio. Sono possibili più soluzioni.

a | fissare | pagare | ~~durare~~ | aver bisogno di | offrire | provare |

b | trattamenti | appuntamento | ~~idromassaggio~~ cuffia | massaggio rilassante | visita medica |

1 _Quanto dura un idromassaggio?_   Mah, circa mezz'ora.
2 _____   Sì, grazie, ho portato solo l'accappatoio.
3 _____   In contanti o con carta di credito.
4 _____   Se vuole, ma non è necessario.
5 _____   No, mi dispiace, non fa per me.
6 _____   C'è solo l'imbarazzo della scelta.

4 Associa le domande della colonna di sinistra alle reazioni della colonna di destra.

1 Franca ti ha dato i biglietti per il concerto?

2 Paolo, mi potresti cercare il numero di telefono dell'officina?

3 Ha spedito le prenotazioni al signor Bettini?

4 Scusi, ci può trovare un volo per Cagliari per venerdì prossimo?

5 Signorina, ha confermato gli appuntamenti per i massaggi ai clienti della camera 52?

6 Ho sentito che si è rotta la vostra macchina. Vi serve la mia?

a Sì, glieli ho confermati stamattina.

b Sì, ve lo cerco subito.

c Sì, me li ha portati ieri in ufficio.

d Certo, te lo do subito.

e No, gliele mando domani.

f Davvero ce la potresti prestare?

5 Completa domande e risposte con le forme corrette dei pronomi. Usa ogni forma una sola volta.

gliela | mi | la | le | gliene | gliele | mi | ve

1 __Mi__ fai la prenotazione? Sì, te __la__ faccio.

2 Ci porti le ciabatte? Sì, __ve__ __le__ porto.

3 Dottore, mi consiglia uno sciroppo? Sì, __glielo__ consiglio.

4 Devo dare le gocce al bambino? Sì, __gliele__ dia.

5 Quante inalazioni __mi__ consiglia? Guardi, __gliene__ consiglio almeno sei!

6 Rispondi alle domande, come nell'esempio.

1 Mi hai prenotato la visita medica? Sì, _te l'ho prenotata._

2 Ci ha prenotato i trattamenti? Sì, _ve li ho prenotato_

3 Senta, ha portato la cuffia al cliente? No, _non glieli'ho portata_

4 Hai fatto vedere le foto a Giovanna? Sì, _gliele ho fatte vedere_

5 Hai dato il libro a Raffaele? No, _non gliel'ho dato_

7 Inserisci i pronomi combinati e trasforma le frasi, come nell'esempio
(imperativo, seconda persona singolare).

r drops

1 Quella gonna è molto bella! Non vuoi provar*tela*? → _Provatela._

2 Hai comprato il regalo per Sara? Dovresti mandar_glielo_ domani. → _Mandaglielo_ domani.

3 ■ Ho letto un libro interessante sui dialetti italiani. Lo vuoi leggere?

  o Ah, sì! Potresti prestar_melo_ ? → _Prestamelo_

4 Hai le foto della classe che abbiamo fatto in gita? Puoi mandar_mele_ per e-mail?

  → _Mandamele_

5 Ho dimenticato i tuoi numeri di cellulare. Ti dispiacerebbe dar_meli_ di nuovo?

  → _Dammeli_ di nuovo.

6 Hai già consegnato le chiavi all'agenzia? Dovresti consegnar_gliele_ questa mattina.

  → _Consegnagliele_ questa mattina.

8 Con gli elementi dati forma delle frasi, come nell'esempio.

Qualche opinione su come essere in forma

andare   scuola   lavoro   piedi   fare bene

Penso che andare a scuola o al lavoro a piedi faccia bene.

1 muoversi   bicicletta   città   essere meglio   andare   macchina

Penso che muoversi in bicicletta in città sia meglio che andare macchina

2 per   tenersi   forma   essere meglio   salire   scale   piedi

Penso che per tenersi in forma sia meglio le scale a piedi

3 passeggiare   fare bene   salute

Passeggiare faccia bene a la salute

4 essere forma   essere necessario   fare
attività fisica   regolarmente

Penso che per stare in forma è necessario
fare attività fisica regolarmente

9   *Completa il cruciverba con i nomi degli sport.*

orizzontali

6 L'... è uno sport che si pratica in montagna.
7 Il ... è uno sport che si pratica con la bicicletta.

verticali

1 Il ... è uno sport che si pratica con racchetta,
pallina e rete.
2 La ... subacquea è uno sport che si pratica con
le pinne e la maschera.
3 Il ... è uno sport che si pratica con il paracadute.
4 Il ... è uno sport che si pratica con la canoa.
5 La pallavolo e la ... sono due sport che si praticano
con la palla.

10   *Ecco il racconto di una partita di calcio tra professori e allievi.*
Completa il testo con le parole della lista.

fischiare

tifosi, fare il tifo

battere le mani

2 : 2 (pareggio)

> facevano | giocatore | ristabilire | pareggio | arbitro | mani
> squadre | litigavano | calciatore | campo | gioco | gol | partita

La partita si è disputata tra le due _____ dei professori e degli allievi, sul _____
di gioco del liceo.

Ogni _____ portava la maglietta con il numero e il nome del _____ preferito.

Alle 16.00, puntuale, è arrivato l' _____ , che ha fischiato l'inizio del _____ .

I professori hanno segnato un _____ dopo 5 minuti di gioco, ma l'arbitro è intervenuto per
_____ l'ordine tra gli allievi che protestavano e _____ con i professori.

I tifosi erano in maggioranza ragazzi che battevano le _____ e _____ il tifo
per i loro compagni.

La _____ è terminata 3 a 3 con un _____ .

11 **a** *Inserisci nelle frasi mentre o durante, come nell'esempio.*

1 ___Durante___ la partita dei suoi amici Sergio faceva il tifo.

2 ___Mentre___ i calciatori giocavano, i tifosi fischiavano.

3 Nel calcio storico ___durante___ il gioco, l'arbitro osserva le squadre dal fondo del campo.

4 ___Mentre___ fa il trattamento per il corpo, la signora Lorenzi si rilassa.

5 ___Mentre___ l'idromassaggio le tensioni dei muscoli si sciolgono.

b *Ora trasforma le frasi secondo l'esempio.*

Mentre i suoi amici giocavano, Sergio faceva il tifo. ...

CD ROM ▶ 12 **12** **a** *Ascolta l'intervista sul tema "sport estremi".*

Seguendo le informazioni di Fulvio scrivi sotto le foto il nome dello sport rappresentato usando alcune parole della lista.

snowboard | ciclismo | parapendio | kitesurfing | surf | pesca subacquea | free climbing

1 _____ 2 _____ 3 _____ 4 _____

CD ROM ▶ 12 **b** *Ascolta un'altra volta l'intervista e completa.*

1 A Fulvio piacciono gli sport estremi perché vuole _____ da tutto

e da tutti e perché ama le _____ e il _____ .

2 Secondo Fulvio uno sport estremo è più pericoloso di uno sport normale?   sì ☐   no ☐

3 Le persone che praticano gli sport estremi sono _____ .

13 *Cosa significano le frasi seguenti?*
Segna la risposta giusta con una "X".   PROVERBI E MODI DI DIRE

1 **Hai voluto la bicicletta? Adesso pedala!**
a Devi fare tanto sport per essere in forma.   ☐
b Devi usare bene una cosa che hai comprato.   ☐
c Non devi lamentarti di una situazione difficile se l'hai voluta tu.   ☐

2 **Sono completamente nel pallone.**
a Sto giocando a calcio.   ☐
b Non capisco più niente.   ☐
c Mi piace molto giocare a pallone.   ☐

Ripassiamo

14 *Scegli la forma giusta tra quelle evidenziate.*

Ieri io e mia figlia ci **siamo divertite/divertivamo** a preparare un tiramisù con le fragole.
Abbiamo **tagliato/strizzato** le fragole a pezzi **molti/molto** piccoli e le abbiamo mescolate **bene/buono** con il mascarpone e lo zucchero. Abbiamo messo **ai fornelli/a bagno** i biscotti nel latte e poi li abbiamo sistemati nel recipiente con la crema al mascarpone.
Abbiamo messo tutto in frigorifero per 3 ore perché il tiramisù è un dolce **quale/che** si serve **freddissimo/più freddo**.

Fonetica, ritmo e intonazione

15 I pronomi combinati

Quando un pronome combinato si unisce a una forma verbale (imperativo o infinito) la vocale accentata non cambia, per esempio: pren<u>o</u>ta, pren<u>o</u>tameli.

a *Ascolta e ripeti ad alta voce.*

dammeli   scrivigliela   prendicele   compratelo   compratevelo   diccelo

b *Attenzione alle differenze di pronuncia. Ascolta e ripeti ad alta voce.*

Devi mandargliela.   Mandagliela.

Dovresti provartelo.   Provatelo.

Potresti prenotarglieli.   Prenotaglieli.

Vuoi dirglielo?   Diglielo.

'ALMA.tv ▶

Vai su www.alma.tv, nella rubrica *Grammatica caffè* e guarda il video "Ce la si fa". Scoprirai la sfrenata passione degli italiani per... i pronomi!

Dossier

16 Scrivi un breve testo su un'attività, un'esperienza o un tipo di vacanza per te antistress.

17 Descrivi brevemente uno sport che ti piace, che hai praticato o che pratichi attualmente.

Esercizi

1 *Trova i sostantivi derivati dai verbi, come nell'esempio.*

1 offrire   *offerta*   4 adottare _____

2 aiutare   _____   5 assistere _____

3 proteggere   _____

2 *Ricordi i nomi di animali che hai imparato in classe? Ricomponili.*
Le lettere numerate daranno il nome di un animale domestico.

CELCOLU   [ ][ ][ ][ ][ ][5][ ]

GNOLLAE   [2][ ][ ][ ][ ][-][ ]

RACPA   [ ][ ][ ][ ][ ]

ICCEOTR   [ ][ ][ ][ ][3][ ]

AGRAATUTR   [4][ ][ ][ ][ ][ ][1][ ]

[1][2][3][4][5]

3 *Inserisci nel testo le parole mancanti.*

> donato | offerto | solidarietà | impegno
> occupavo | lasciato | offrendo | associazioni
> bisogno | volontariato | assistenza

Mi chiamo Maura e vorrei raccontarvi la mia storia.
Il _____ è stato un elemento importantissimo nella mia vita. Ho sempre _____ una parte del mio tempo alle persone che ne avevano _____. Da giovane ero infermiera e mi _____ dei malati a tempo pieno, _____ loro affetto e aiuto anche oltre l'orario di lavoro. Poi mi sono sposata, ho _____ la professione per stare di più con la famiglia, ma ho continuato a dedicare tempo ed energie ai malati e all' _____ in campo sociale. Durante la carriera di volontaria ho _____ il mio aiuto ad _____ che si occupano dei problemi delle donne, ho partecipato a campagne di _____ per organizzazioni come "Medici senza frontiere", ho raccolto somme di denaro per costruire centri di _____ ai poveri. Ora ho quasi settant'anni e tra poco festeggerò i 50 anni di volontariato, ma non sono ancora stanca di aiutare gli altri. La solidarietà mantiene giovani!

4 *Come si può aiutare? Scegli dalla lista le espressioni associabili a quelle fra parentesi e forma delle frasi (con le preposizioni, se necessario), come nell'esempio. Sono possibili più soluzioni.*

iniziativa di volontari | somma di denaro | ~~donazione~~
animali | malati in ospedale | associazione

1 *(sostenere un'organizzazione)*   Si può sostenere un'organizzazione con una donazione.
2 *(diventare soci)*   Si può divente soci con una somm di deno
3 *(offrire tempo)*   Si può offire tempo hai i malati in osp
4 *(occuparsi)*   Ci si può occupere degli animal
5 *(aiutare)*   Si puossono aiutare i malati in ospedale
6 *(devolvere)*   Si può devolvee una somma di denaro

5 *Completa il cruciverba con i nomi di professione.*

orizzontali
2 Lavora all'aria aperta e cura le piante.
4 Lavora a un progetto.
7 ... di banca.
8 Lavora con uno strumento.

verticali
1 Lavora con gli animali.
3 Fa un lavoro manuale.
5 ... d'asilo.
6 Ha un negozio.

6 *Completa le frasi in modo appropriato, come nell'esempio. Sono possibili più soluzioni.*

1 Il mio stipendio è troppo basso.   Nel nuovo lavoro spero di avere uno stipendio adeguato.
2 Non ho contatti con il pubblico.   Nel nuovo lavoro _____
3 Ho un cattivo rapporto con il capo.   Nel nuovo lavoro _____
4 Il mio orario di lavoro è troppo lungo.   Nel nuovo lavoro _____

7 *Ascolta il dialogo.*

a *Scrivi delle frasi sul nuovo lavoro di Sabrina riferendoti ai temi dati.*

1 mettersi in proprio:

Sabrina ha deciso di mettersi in proprio.

2 tipo di negozio:

_____

3 azienda familiare: _____

4 periferia: _____

5 contatto con il pubblico: _____

6 aspetti positivi del lavoro di prima: _____

b *Secondo te quali tra le capacità della lista sono necessarie per il lavoro di Sabrina? Quali aggiungeresti?*

determinazione | abilità manuale | doti comunicative | qualità dirigenziali | resistenza fisica

_____

8 *Completa le frasi con i verbi al congiuntivo presente.*

1 Ines ha cambiato lavoro e tutti speriamo che finalmente questa volta le *(piacere)* _____ .

2 Il mio nuovo lavoro mi piace molto e spero che mi *(dare)* _____ tante soddisfazioni.

3 L'azienda ha deciso di assumere una persona nuova: i colleghi sperano che *(avere)* _____ doti comunicative e *(essere)* _____ in grado di lavorare in gruppo.

4 Flavio è stato ad un colloquio di lavoro e spera proprio che lo *(prendere)* _____ perché è un posto interessantissimo.

9 *Sperare di* o *sperare che*? *Formate delle frasi con gli elementi dati.*

1 Teresa   sperare   svolgere attività meno monotone

Teresa   spera di   svolgere attività meno monotone

2 Diego   sperare   colleghi essere disponibili

Diego   spera   che i suoi colleghi siano disponibili

3 Sara e Caterina   sperare   imparare presto il russo

Sara e Caterina   sperano   di imparare presto

4 L'ingegnere e il suo gruppo   sperare   completare il progetto per tempo

L'ingegnere e il suo gruppo sperano di completare

5 Marta   sperare   capo essere più flessibile

Marta   spera che il capo

10 *Scrivi le frasi sotto i disegni, come negli esempi.*

1 partire <u>Il treno sta per partire.</u>

2 partire <u>Il treno sta partendo.</u>

5 mangiare <u>Piero sta mangiando</u>

4 uscire <u>La ragazza sta per uscire</u>

3 cominciare <u>Lo spettacolo sta per cominciare</u>

11 **Stare per** o **stare** + gerundio? Trasforma le frasi sostituendo la forma verbale corretta, come nell'esempio.

1 L'offerta di servizi per la famiglia attualmente cresce.

<u>L'offerta di servizi per la famiglia **sta crescendo.**</u>

2 È il mio ultimo giorno di lavoro, domani parto per le ferie.

<u>È il mio ultimo giorno di lavoro sto per partire</u>

3 Il mio contratto di lavoro scadrà tra poco.

<u>Il mio contratto di lavoro sta per scadere</u>

4 Negli ultimi tempi molte aziende concedono ai dipendenti nuove forme di assistenza.

<u>Negli ultimi tempi molte aziend stanno concedend ai dipendenti nuove forme</u>

5 Fabio comincerà presto a lavorare per una ditta di trasporti.

<u>Fabio sta per cominciare presto</u>

6 Federica tra breve si metterà in proprio e aprirà una pasticceria.

<u>Federica sta per mettersi e sta per aprire una pasticceria</u>

12 *Associa gli elementi della prima colonna a quelli della seconda colonna.*

Il telelavoro è una forma di lavoro a distanza, che permette di lavorare da casa, a tempo pieno o part-time, con l'aiuto di mezzi informatici.

a *Quali sono gli aspetti positivi di questo tipo di lavoro?*

1	Si riducono	a	liberamente.
2	Si risparmia	b	le spese ed i tempi di spostamento.
3	Si lavora	c	un orario di lavoro flessibile.
4	Si può avere	d	sul costo dei pasti.
5	Ci si può organizzare	e	in un ambiente familiare e accogliente.

b *Ovviamente ci sono anche aspetti negativi.*

1	Mancano	a	un lavoro monotono.
2	Può essere	b	i contatti diretti con colleghi e pubblico.
3	Bisogna avere	c	separare la vita privata dal lavoro.
4	Non è facile	d	determinazione.

13 *Descrivi le foto.*

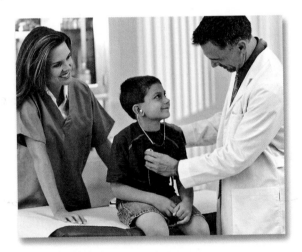

14 *Scegli nella lista gli animali da associare agli aggettivi, come nell'esempio.*

PROVERBI E MODI DI DIRE

un mulo | un coniglio | un maiale | ~~un cane~~ | una tartaruga | un pesce

1 Solo come *un cane.*   4 Sporco come _____

2 Sano come _____   5 Pauroso come _____

3 Testardo come _____   6 Lento come _____

E per augurare buona fortuna si dice: "In bocca al lupo!". Si risponde: "Crepi il lupo!"

Ripassiamo

15 Con gli elementi delle due liste scrivi delle frasi, come nell'esempio. Sono possibili più soluzioni.

Dal medico

Giri la testa.

_____

_____

_____

_____

girare | muovere | aprire | chiudere | alzare

gamba | testa | bocca | braccio | occhi

Fonetica, ritmo e intonazione

16 Le consonanti doppie

a Attenzione alla pronuncia di alcune parole che cambiano significato se la consonante si raddoppia, per esempio: casa → cassa.

Ascolta e segna con una "X" quali parole contengono una consonante doppia.

	1	2	3	4	5
consonante doppia	☐	☐	☐	☐	☐

b Ora ascolta le parole e ripeti.

copia – coppia   capello – cappello   note – notte   caro – carro

sete – sette   camino – cammino   casa – cassa

Dossier

17 Scrivi un breve testo su un'attività di volontariato che hai svolto o che ti piacerebbe svolgere.

18 Scrivi un breve testo sul tuo lavoro attuale, su un lavoro che hai svolto o sul lavoro che ritieni ideale per te.

Esercizi

CD ROM ▶ 18

1 *Ascolta il dialogo e segna con una "X" le affermazioni vere.*

☐ 1 Il Festival delle Mongolfiere si svolge vicino a Torino.

☐ 2 Il Castello di Masino è aperto al pubblico solo durante il Festival.

☐ 3 Sulla mongolfiera si può mangiare e bere.

☐ 4 I soci Fai hanno uno sconto sul biglietto d'entrata al parco.

☐ 5 Nel Castello c'è un museo.

☐ 6 Nel parco si tengono mostre e mercatini.

2 *Associa gli elementi delle due colonne. Sono possibili più soluzioni.*

1 Se diventi socio del Fai,

2 Se donerete un contributo,

3 Se adottiamo un albero,

4 Se fate una donazione per il restauro di un palazzo antico,

5 Se ti prenderai cura di un affresco,

a potrete leggere il vostro nome sulla pietra.

b farai parte di un grande progetto.

c proteggerai una parte della tua storia.

d aiuterete il vostro paese.

e il nostro nome fiorirà per sempre.

3 *Completa la seconda parte delle frasi con i verbi al presente o al futuro. Sono possibili più soluzioni.*

1 Se prendi il treno delle 20.05, *(arrivare)* _____ arriverai / arrivi _____ in orario per il concerto.

2 Se ti iscrivi al corso di montaggio video, *(potere)* _____ puoi / potrai _____ sistemare le riprese delle vacanze.

3 Se faremo un tour in bici, *(dovere)* _____ dovremo _____ organizzare le tappe con cura.

4 Se Carla e Franco troveranno un appartamento adatto alle loro esigenze, *(sposarsi)* _____ sposeranno _____ entro maggio.

5 Se non smetti di stare sempre davanti al computer con gli amici virtuali, *(perdere)* _____ perderai / perdi _____ i contatti con gli amici reali.

6 Se Nino si metterà in proprio, *(essere)* _____ sarà _____ più indipendente.

4 *Completa le frasi con le parole della lista.*

camminare | campeggiare | rumori | consentito | rifiuti
accendere | motore | disturbate | raccogliere | portare

Regolamento dell'area protetta

All'interno del parco non è _____ usare mezzi a _____.

È vietato _____ all'interno del parco con tende, camper o roulotte.

È vietato abbandonare ogni tipo di _____.

Non _____ la tranquillità del parco con _____ inutili.

All'interno del parco è proibito _____ fiori.

È vietato fumare o _____ fuochi: una sola sigaretta può distruggere un bosco vecchio di secoli.

Vi preghiamo inoltre di _____ i cani al guinzaglio e di _____ solo sui sentieri.

5 *Completa il cruciverba con parole che riguardano l'edilizia.*

orizzontali
2 In una casa ecologica le finestre hanno tripli ... .
5 È un materiale molto resistente di colore grigio.
6 Sono rossi e rettangolari.
7 È un gas.

verticali
1 Usano l'energia solare per riscaldare.
3 La casa è riscaldata con ... geotermica.
4 È un materiale che si usa per costruire.

6 *Leggi le opinioni delle persone sulla casa ecocompatibile e poi completa le frasi seguendo gli esempi.*

1 Lisa ha paura che ci voglia troppo tempo per ottenere i permessi.

2 Laura ha paura _di avere mille problemi con la burocrazia._

3 Teresa ha paura _che la casa costi troppo_

4 Fausto ha paura _che forse d'estate sia troppo_

5 Luciano ha paura _che il legno non sia_

6 Piera ha paura _di non_ _opere_

Lisa:
Per me ci vuole troppo tempo per ottenere i permessi.
Laura:
Sono sicura: avrò mille problemi con la burocrazia.
Teresa:
Secondo me la casa costa troppo.
Fausto:
Forse d'estate è troppo calda.
Luciano:
Per me il legno non è un materiale abbastanza sicuro.
Piera:
Non saprei certo usare bene tutta la tecnologia della casa...

7 *Trasforma le frasi secondo l'esempio.*

1 È necessario diminuire la produzione di rifiuti.

(loro) *È necessario che diminuiscano la produzione di rifiuti.*

2 Bisogna istituire centri di riciclaggio.

(voi) *Bisogna che istituiate centri di ricc*

3 Bisogna usare lavandini o docce particolari per risparmiare acqua.

(tu) *Bisogna che tu usi lavindini o*

4 È necessario comprare solo lampadine ed elettrodomestici a basso consumo.

(noi) *È necessario che compriamo*

5 Bisogna utilizzare solo carta riciclata.

(loro) *Hanno bisogn di utilizz*

6 È necessario consumare bibite in bottiglia.

(Lei) *È necessario que lei consumi*

8 *Associa gli elementi delle due colonne (contenitori e alimenti), come negli esempi. Sono possibili più soluzioni.*

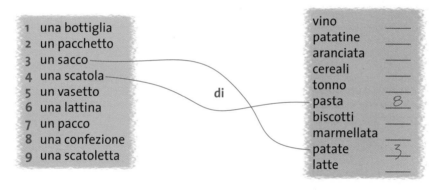

1 una bottiglia
2 un pacchetto
3 un sacco
4 una scatola
5 un vasetto
6 una lattina
7 un pacco
8 una confezione
9 una scatoletta

di

vino ——
patatine ——
aranciata ——
cereali ——
tonno ——
pasta 8
biscotti ——
marmellata ——
patate 3
latte ——

9 *Dove butteresti i contenitori dell'esercizio precedente secondo la raccolta differenziata? Scrivi i nomi vicino ai cassonetti corrispondenti. Sono possibili più soluzioni.*

1   2   3   4

10 *Completa le frasi con la parola o l'espressione giusta tra le tre proposte nella tabella.*
Sono possibili più soluzioni.

Negli ultimi anni stiamo assistendo a una diffusione sempre maggiore dell'edilizia ecosostenibile:

infatti _____ (1) costruite sempre più case ecologiche. La casa passiva _____ (2)

progettata per la prima volta più di vent'anni fa. È un tipo di casa che non ha bisogno di impianto

di riscaldamento o di climatizzatore, perché la giusta temperatura _____ (3) regolata

dall'esposizione al sole. Il calore _____ (4) trattenuto di più o di meno secondo la stagione.

Un altro esempio di architettura ecologica sono i giardini verticali: in alcune grandi città _____ (5)

creati dei veri giardini che crescono verso il cielo. Le piante sui muri esterni mantengono l'umidità,

rinfrescano le pareti durante l'estate e non permettono l'uscita del calore d'inverno.

1	a	vanno	b	sono state	c	vengono
2	a	è stata	b	è	c	viene
3	a	sarà	b	è stata	c	viene
4	a	è	b	viene	c	verrà
5	a	vengono	b	saranno	c	sono stati

11 *Trasforma le frasi nella forma passiva, come nell'esempio.*
Attenzione, devi usare tempi diversi in base alla frase (presente, passato prossimo o futuro).

1 Gli architetti hanno sviluppato un nuovo progetto per valorizzare il quartiere.

 Un nuovo progetto è stato sviluppato dagli architetti per valorizzare il quartiere./
 Dagli architetti è stato sviluppato un nuovo progetto per valorizzare il quartiere.

2 Molti usano il legno come materiale da costruzione.

 _____

3 I pannelli solari trasformano l'energia del sole in energia elettrica.

 _____

4 Gli esperti sfrutteranno l'energia geotermica per riscaldare la casa.

 _____

5 Il comune darà grande importanza allo sviluppo delle zone verdi.

 _____

12 *Metti in ordine gli elementi e forma delle frasi con i **verbi** al passivo, come nell'esempio. Sono possibili più soluzioni.*

Il corso   per principianti   di spagnolo   madrelingua   **tenere**   da un insegnante

Il corso di spagnolo per principianti verrà tenuto/è tenuto/viene tenuto/è stato tenuto da un insegnante madrelingua.

1 **consegnare**   appena possibile   la valigia   Le   da un nostro impiegato

_____

2 la prossima estate   Le storie   **pubblicare**   in un volume   da una casa editrice

_____

3 Fabio   dai suoi amici   **aiutare**   l'anno scorso   molto

_____

4 sabato   di spettatori   La partita   da più di un milione   **seguire**

_____

5 con donazioni   **sostenere**   L'iniziativa   da molti volontari

_____

13 *Descrivi le foto.*

14 *Associa ogni proverbio al suo significato.*

1 avere un cuore grande come una casa
2 essere di casa
3 fare come a casa propria

a essere spesso in un posto
b essere molto generosi
c comportarsi in modo naturale a casa di un'altra persona

Ripassiamo

15　**a** *Completa le frasi con la forma corretta dell'imperativo dei verbi della lista e con un pronome, se necessario.*

> chiudere | agganciare | fermarsi | bere (2) | superare

1 Se siete stanchi, _____ a riposare.

2 Se viaggi in autostrada, non _____ il limite dei 130 Km/h.

3 Se hai in macchina un seggiolino per bambini, _____ correttamente al sedile posteriore.

4 Se fate un viaggio lungo, _____ molto, ma non _____ alcolici.

5 Se ti fermi in un'area di servizio, _____ a chiave la macchina.

b *Quale parola o espressione non ha niente in comune con le altre della riga?*

1 quadrato | rettangolare | triangolare | ovale | rigido | tondo

2 incidente | cinture di sicurezza | lavori in corso | uscita chiusa | traffico intenso

3 casco | paraurti | cofano | sportello | tergicristalli | pneumatici

Fonetica, ritmo e intonazione

  16　**La concatenazione**
Le parole all'interno di una frase vengono spesso pronunciate insieme, unendo la prima parola alla prima sillaba della parola seguente, senza fare pause tra una e l'altra.
Ascolta e prova a ripetere le espressioni riproducendo l'intonazione.

per‿iniziare　　　　　nel‿luogo‿in‿cui‿abitate

in‿estate‿e‿in‿inverno　　per‿esempio

in‿un'area‿protetta　　　con‿un‿compagno‿di‿classe

Dossier

17　**Scrivi un breve testo sulla tua "casa ideale".**

Test Unità 5-7

Segna la risposta corretta con un "X".

1 Il massaggio terapeutico è adatto per il ...... e ...... vanno bene per la tosse.

☐ mal di schiena   ☐ i fanghi
☐ mal di gola   ☐ i trattamenti estetici
☐ mal di pancia   ☐ le inalazioni

2 ■ Signora, potrei prenotare un appuntamento per il fango?
   ● Sì, ... prenoto subito.

☐ gliela   ☐ ve lo   ☐ glielo

3 ■ Mi passi il giornale, per favore?
   ● Finisco di leggerlo e ...... do.

☐ te la   ☐ te lo   ☐ glielo

4 Si gioca a tennis con ......

☐ la pinna   ☐ la mazza   ☐ la racchetta

5 ...... è uno sport che si pratica solo all'aperto.

☐ La pallacanestro   ☐ La pallavolo
☐ L'arrampicata

6 ...... i calciatori giocavano la partita, il pubblico applaudiva.

☐ Durante   ☐ Mentre

7 L'associazione opera in tutto il mondo e si occupa ...... malati.

☐ fornisce   ☐ ai   ☐ dei

8 ..... corrono, ... nuotano e .... volano.

☐ Le tartarughe   ☐ i muli   ☐ i criceti
☐ I pesci   ☐ gli agnelli   ☐ gli uccelli
☐ I cavalli   ☐ i pesci   ☐ i conigli

9 I volontari ...... tempo e attenzioni a chi ne ha bisogno e spesso devolvono anche somme di denaro ...... associazioni per cui lavorano.

☐ offrono   ☐ con le   ☐ ringraziano
☐ aiutano   ☐ delle   ☐ alle

10 ...... di solito lavora come dipendente in un ospedale, mentre ...... lavora in proprio.

☐ L'ingegnere   ☐ l'impiegato di banca
☐ L'infermiere   ☐ la maestra d'asilo
☐ Il giardiniere   ☐ l'artigiano

11 Chi si adatta bene a situazioni nuove è una persona ......

☐ dinamica   ☐ paziente   ☐ flessibile

12 Caterina spera ...... trovare presto un lavoro più interessante.

☐ _ _   ☐ di   ☐ che

13 Nell'azienda ..... in vigore la nuova regola per accumulare i giorni di permesso: dal prossimo anno tutto cambierà.

☐ sta entrando   ☐ entrando   ☐ sta per entrare

14 Sergio ha lavorato più di 10 ore ogni giorno in quest'ultima settimana, ma il suo ...... di lavoro non vuole pagargli ....

☐ dipendente   ☐ i contributi
☐ collega   ☐ gli straordinari
☐ datore   ☐ l'assicurazione

15 Se ...... la Toscana, ... imparare moltissimo sulla storia e la cultura italiana.

☐ visitavi   ☐ visiterai   ☐ hai visitato
☐ possa   ☐ potrei   ☐ potrai

16 Nel parco non si possono ...... fiori.

☐ raccogliere   ☐ dentro i   ☐ accendere

17 La casa è fatta di ...... , è riscaldata a ...... e ha ...... vetri.

☐ mattoni   ☐ metano   ☐ i doppi
☐ marroni   ☐ stufa   ☐ le finestre

18 Se volete costruire una casa ecologica è necessario ...... vi informiate bene.

☐ che   ☐ di   ☐ _ _

19 Per risparmiare energia ...... usare lampadine a basso consumo.

☐ ho bisogno   ☐ bisogna   ☐ bisogna che

20 Nei prossimi anni la città ...... di un numero maggiore di aree verdi.

☐ sta dotando   ☐ è dotata   ☐ sarà dotata

Vai su www.alma.tv nella rubrica *Linguaquiz* e mettiti alla prova con i videoquiz a tempo. Ti bastano solo 30 secondi!

Esercizi

1 *Scrivi sopra a ogni trama di che genere di film si tratta.*

L'ultimo terrestre

La storia inizia durante l'ultima settimana prima dell'arrivo di una civiltà extraterrestre sulla terra. Il film segue la vita di Luca Bertacci, un uomo con grandi problemi di relazione, incapace di provare sentimenti, che trascorre la giornata tra il bar in cui lavora e gli incontri con il padre. Ma l'arrivo degli extraterrestri cambierà tutto.

Posti in piedi in Paradiso

Ulisse, Fulvio e Domenico sono tre padri separati costretti a pagare quasi tutto quello che guadagnano in spese di mantenimento per ex mogli e figli. Tutti e tre si trovano in grandi difficoltà economiche.

Dopo un incontro casuale, durante la ricerca di una casa in affitto, Domenico propone a Ulisse e Fulvio di andare a vivere insieme per dividere le spese di un appartamento. Inizia così la loro convivenza e la loro amicizia.

La solitudine dei numeri primi

Film tratto dal romanzo di Paolo Giordano. I numeri primi sono numeri divisibili solo per uno e per se stessi, sono quindi numeri "soli", come soli sono i due protagonisti del film. A causa di due episodi tragici avvenuti quando erano bambini, la vita di Alice e Mattia è cambiata per sempre e li ha resi diversi dagli altri. Quando si incontrano, da ragazzi e poi di nuovo da adulti, cercano di fondere le loro solitudini in un'amicizia e poi nell'amore, ma la forza del dolore che si portano dentro è più forte di ogni altro sentimento e li terrà divisi nelle loro solitudini.

2 *Rimetti in ordine la trama del film.*

QUALCHE NUVOLA – regia di SAVERIO DI BIAGIO

- ☐ Tutto è già chiaro, programmato, ma poi arriva Viola, la nipote del capo di Diego. Vuole restaurare la casa e Diego accetta. Viola appartiene a un altro mondo, vive nel centro storico e la sua vita sembra lontana dal quartiere e dal cantiere di Diego.

- 5 C'è qualche nuvola in cielo, sono le nuvole delle domande mai fatte e delle scelte che qualcuno ha fatto per noi.

- ☐ Un bacio e tutta quella distanza tra Viola e Diego non esiste più. Il matrimonio con Cinzia è ormai vicino. Che cosa fare? Bisogna rispondere di sì, e tocca a Diego rispondere. Può dire di no a tutti quanti? Può distruggere tutto? Cosa altro può cercare?

- ☐ Roma: palazzi antichi e pieni di storia, ma dove vive Diego i turisti non passano mai. Lui è nato in una zona popolare alla periferia della città, lavora in un cantiere ed è fidanzato con Cinzia perché sono cresciuti insieme, nello stesso quartiere.

- ☐ Per Cinzia il sogno è uno solo da quando è bambina: sposarsi, avere figli, occuparsi della casa.

3 *Completa il cruciverba.*

orizzontali

5 Una donna che interpreta un ruolo in un film è un' ...

6 Un film di fantascienza ha tanti ... speciali.

7 Un film con un colpevole è un film ...

8 Chi scrive il testo di un film è lo ...

verticali

1 Un film senza audio è un film ...

2 Un film che fa paura è un film dell'...

3 Chi produce il film è il ...

4 Fellini era un grande ... italiano.

4 *Inserisci le espressioni della lista al posto giusto nel dialogo.*

Ma basterà per arrivare in tempo | la trovo un'ottima idea | Ma sì, basterà partire
Mah, non so | Comincia sempre alla fine di agosto, no | Ci troviamo alle dieci alla stazione

● Allora ragazzi, andiamo a Venezia alla Mostra del Cinema?

■ _____... Non sono un appassionato di cinema
e poi i film sono tutti in lingua originale con i sottotitoli, che
fatica!

○ Io invece _____ e come
studenti abbiamo anche diritto a una tessera speciale
per avere degli sconti sui biglietti.

▷ _____ ?

● Sì, comincia mercoledì e dura una decina di giorni.

■ Allora non troveremo più neanche un biglietto ormai!

● _____ molto presto, andare direttamente al Palazzo del Cinema
al Lido di Venezia e fare la coda alla biglietteria con tanta, tanta pazienza.
La mia amica Rossella che abita a Venezia fa così.

○ Che ne dite, allora ci andiamo venerdì? _____ ?

■ _____ ?

○ Ma sì, dai, basterà.

● ○ ▷ ■ Ok, allora alle dieci.

5　**a**　*Rimetti in ordine le frasi e ricostruisci il dialogo tra due persone al telefono.*

No, mi dispiace.　　　　　　　　　　　＿＿＿＿＿＿＿＿＿＿＿＿＿＿＿＿＿＿

Guardi, Lei ha sbagliato numero.　　　＿＿＿＿＿＿＿＿＿＿＿＿＿＿＿＿＿＿

Oh, mi scusi allora!　　　　　　　　　＿＿＿＿＿＿＿＿＿＿＿＿＿＿＿＿＿＿

Pronto?　　　　　　　　　　　　　　＿＿＿＿＿＿＿＿＿＿＿＿＿＿＿＿＿＿

Non fa niente.　　　　　　　　　　　＿＿＿＿＿＿＿＿＿＿＿＿＿＿＿＿＿＿

Pronto, buongiorno, potrei parlare con Luca?　＿＿＿＿＿＿＿＿＿＿＿＿＿＿

Ma chi parla, scusi?　　　　　　　　　＿＿＿＿＿＿＿＿＿＿＿＿＿＿＿＿＿＿

Sono Dario, un suo collega.　　　　　＿＿＿＿＿＿＿＿＿＿＿＿＿＿＿＿＿＿

Ma non è lo 06 6999153?　　　　　　＿＿＿＿＿＿＿＿＿＿＿＿＿＿＿＿＿＿

b　*Trasforma il testo in un dialogo, secondo l'esempio.*

Dario telefona a casa di Luca e gli risponde sua sorella Laura, che glielo chiama. Dario propone a Luca di andare al cinema con un gruppo di amici. L'appuntamento è per sabato alle 21.30 al cinema all'aperto. Dario propone anche di trovarsi prima e di mangiare insieme una pizza verso le 20, nella pizzeria vicino alla piazza. Luca accetta la proposta, non è sicuro dell'orario, pensa che sia meglio incontrarsi verso le 19.30. Dario e Luca confermano l'orario per le 19.30.

○ Pronto?
■ Pronto? Ciao, sei Laura? Sono Dario, vorrei parlare con Luca.
...

6　*Forma delle frasi, come nell'esempio.*

1 *(noi)*　viaggiare　autostrada　ascoltare　notizie sul traffico

Mentre viaggiavamo in autostrada abbiamo ascoltato le notizie sul traffico.

2 Paola　essere　segreteria　incontrare　signora　Anselmi

Mentre Paola...

3 *(loro)*　fare　giro　bici　cominciare　piovere

＿＿＿＿＿＿＿＿＿＿＿＿＿＿＿＿＿＿＿＿＿＿＿＿＿＿＿＿＿＿＿＿＿＿

4 Michele　chattare　suo amico　arrivare　sua ragazza

＿＿＿＿＿＿＿＿＿＿＿＿＿＿＿＿＿＿＿＿＿＿＿＿＿＿＿＿＿＿＿＿＿＿

5 Francesca　mettere in ordine　sua camera　ritrovare　libro di chimica

＿＿＿＿＿＿＿＿＿＿＿＿＿＿＿＿＿＿＿＿＿＿＿＿＿＿＿＿＿＿＿＿＿＿

7　*Scegli la forma corretta tra quelle evidenziate: passato prossimo o imperfetto?*

1 Ieri mentre andavo al cinema **ho visto/vedevo** la locandina del nuovo film di Scorsese.

2 Il produttore è **arrivato/arrivava** sul set mentre il regista parlava con gli attori.

3 Il film era molto commovente e mentre lo guardava Lisa **ha iniziato/iniziava** a piangere.

4 Mentre Aldo e Mara facevano la coda alla biglietteria, Gianni e Nora **hanno passeggiato/ passeggiavano** al Lido.

5 Mentre Stefano attendeva di entrare nella sala del cinema è **scoppiato/scoppiava** un temporale.

6 La gente **ha osservato/osservava** gli attori mentre si girava il film per strada.

8 *Associa gli elementi delle due colonne.*

1 Marco frequenta di nuovo il corso di francese
2 Grazie ai social network ho ritrovato molte persone
3 Antonio è cresciuto nella città
4 Gli esperti hanno risolto tutti i problemi tecnici
5 Teresa ha collaborato al progetto umanitario dell'associazione

a che erano sorti mentre ristrutturavano la casa.
b in cui si erano trasferiti i suoi genitori dopo il matrimonio.
c a cui si era già iscritto l'anno scorso.
d che non avevo più visto dai tempi del liceo.
e per cui aveva fatto volontariato in ospedale.

9 *Inserisci le forme del trapassato prossimo.*

1 La signora Benelli si è rilassata con un massaggio antistress che le *(regalare)* _aveva regalato_ una sua amica.

2 Adriano a 20 anni è andato a vivere da solo perché *(decidere)* _____ di sposarsi.

3 Lucio mi ha raccontato la trama del film che *(vedere)* _____ l'anno prima al Festival del cinema.

4 Sandro non ha trovato posto a teatro, perché non *(prenotare)* _____ i biglietti.

5 Ho finalmente letto il libro di cui mi *(tu - parlare)* _____ tanto.

6 Matteo ha ritrovato il suo orologio all'ufficio oggetti smarriti: *(perdere)* _____ qualche giorno prima in metropolitana.

CD ROM ▶ 20 **10** *Ascolta le risposte alla domanda "Cosa e come leggi?" e segna con una "X" il nome della persona a cui si riferisce l'affermazione.*

	Lorena	Giacomo	Annamaria	Simone
1 Mi piacciono tutti i tipi di libri.	☐	☐	☐	☐
2 Non sopporto le "orecchie" nei libri.	☐	☐	☐	☐
3 Da un po' di tempo leggo di più.	☐	☐	☐	☐
4 Non prendo mai libri in prestito.	☐	☐	☐	☐
5 Porto con me i miei libri preferiti.	☐	☐	☐	☐
6 Trovo gli e-book comodi, ma preferisco i libri cartacei.	☐	☐	☐	☐
7 Leggo volentieri poesie.	☐	☐	☐	☐
8 Ho ricevuto un regalo utile.	☐	☐	☐	☐

11 *Associa i titoli ai paragrafi.*

Gli ospiti internazionali
a

b Uno spazio per i giovani

Un libro per tutti
d

Le origini e la storia
c

1 Il Salone Internazionale del Libro nasce nel 1988 da un'idea di due torinesi: il libraio Angelo Pezzana e l'imprenditore Guido Accornero. Si caratterizza per un tema diverso ogni anno. A inaugurare il primo Salone è il poeta russo Josif Brodskij, premio Nobel 1987. Nel 1999 il Salone prende il nome di Fiera del Libro, per poi tornare alla denominazione originaria nel 2010.

2 Il Salone, che si svolge a maggio, è la più grande libreria d'Italia, un festival culturale, un punto di riferimento per tutti i lettori giovani e meno giovani. È come un grandissimo scaffale in cui il pubblico può incontrare il libro in tutte le sue forme: quelli più belli e curiosi, le ultime novità, e-book, audiolibri, libri antichi, fumetti, multimedia.

3 Il Salone dedica uno spazio speciale a un paese, presente a Torino con autori ed editori, mostre, spettacoli, artisti. Tra gli ospiti ci sono stati Olanda, Svizzera, Canada, Grecia, Brasile, Portogallo...

4 Oltre 40.000 bambini e ragazzi visitano il Salone ogni anno. A loro è dedicato il Bookstock Village, un'area piena di incontri, librerie, giochi e laboratori. L'iniziativa continua poi durante l'anno in collaborazione con le scuole attraverso progetti come "Nati per leggere", per insegnare alle famiglie l'importanza della lettura, o "Adotta uno scrittore".

12 *Riassumi il testo precedente in 100 parole, eliminando i paragrafi.*

_____
_____
_____
_____
_____

13 *Completa i modi di dire con le parole mancanti.* PROVERBI E MODI DI DIRE

essere un libro _____ = non avere segreti per gli altri — **stampato**

essere sul libro _____ di qualcuno = essere odiati o esclusi da qualcuno — **aperto**

parlare come un libro _____ = sapersi esprimere con molta cura — **nero**

Ripassiamo

14 **a** *Inserisci nel testo le forme corrette del futuro, come nell'esempio.*

> vincere | potere (2) | scrivere | volere | giocare | fare | ~~iniziare~~

Tra pochi giorni *inizierà* in Svizzera, a Locarno nel Canton
Ticino, il Festival del Film.

In questa edizione il pubblico _____ anche da
giuria. Ogni sera gli spettatori _____ esprimere
il loro giudizio sui film in gara per il "Premio del pubblico"
e _____ al nostro quiz per scoprire tutti i vincitori
del premio delle edizioni passate. Per scegliere il film preferito
gli spettatori _____ il loro voto sulle cartoline
ricevute all'entrata oppure _____ usare il loro
smartphone, se _____. L'opera più votata dal
pubblico _____ il premio al termine dell'edizione.

b ***Più... di* o *più... che?*** *Forma delle frasi con il comparativo seguendo l'esempio.*

1 film   commovente   divertente   *Il film è più commovente che divertente.*

2 questo romanzo storico   noioso   avvincente   _____

3 libro   convincente   film   _____

4 colonna sonora   originale   trama   _____

Fonetica, ritmo e intonazione

CD ROM ▶ 27   **15**   **Le espressioni *no?* e *vero?***
*Talvolta le frasi affermative sono attenuate da espressioni che richiedono
l'approvazione o il consenso della persona che ascolta.*
Ascolta e prova a ripetere le frasi riproducendo l'intonazione.

Il film comincia alle 8, **no?**

Hai già letto questo libro, **vero?**

Ci troviamo in piazza di fronte al cinema, **no?**

La trama del libro è abbastanza complicata, ma molto avvincente, **vero?**

Al Festival del cinema di Venezia sono in gara anche film di registi poco conosciuti, **vero?**

Dossier

16   Scrivi un breve testo su un libro o un film che ti è
piaciuto particolarmente.

'ALMA.tv ▶

Vai su www.alma.tv nella rubrica *L'italiano con
il cinema* e guarda un breve film in italiano.
Alla fine puoi fare anche gli esercizi on line per
verificare la comprensione. Cosa aspetti?

Esercizi

1 *Scrivi per ogni programma di che formato televisivo si tratta.*

Atlantide – Storie di uomini e mondi

Un viaggio nella storia per rivivere i drammatici avvenimenti che hanno preceduto, accompagnato e seguito l'eruzione del Vesuvio del 79. Per le vie di Ercolano e Pompei, all'interno degli edifici pubblici e delle case private ricostruiremo le abitudini e la vita quotidiana dei Romani dell'epoca e seguiremo la cronaca di una catastrofe naturale attraverso lo studio di oggetti e le testimonianze degli autori che hanno vissuto direttamente l'eruzione.

Cosmo

Al centro della puntata la riscoperta del cibo. Si parlerà di storia della gastronomia, delle coltivazioni biologiche e dei prodotti ogm. Mangiare è diventata una scienza? Ma quando e come è nata la cucina italiana così come la conosciamo oggi? Il cibo biologico è solo una moda o fa davvero bene alla nostra salute? E come mangeremo noi italiani domani? A queste domande cercheremo risposte nei servizi girati in Italia e nel mondo. In studio la giornalista Barbara Serra ne discuterà con ospiti ed esperti.

Nero Wolfe: La traccia del serpente

Il detective americano arriva a Roma insieme al suo assistente e deve subito mettersi al lavoro per risolvere una serie di casi polizieschi. Versione italiana del famoso personaggio americano amante delle orchidee e della buona cucina.

Rai Sport domenica: Gran Premio di Monza

Alle 14.00 Giancarlo Mazzoni e Ivan Capelli saranno impegnati nella telecronaca del Gran Premio, assistiti dal commento tecnico di Giancarlo Bruno. Ettore Giovannelli, Stella Bruno e Luca De Capitani saranno pronti dai box a intervistare i protagonisti della corsa.

L'isola dei famosi

Siamo giunti ormai alla serata finale. In queste cinque settimane abbiamo seguito le avventure dei vip sull'isola, li abbiamo visti litigare e stringere amicizia. Abbiamo scoperto chi erano i favoriti del pubblico e spesso ci siamo sorpresi per le scelte inattese. Adesso finalmente sapremo chi è il vincitore di quest'anno.

2 *Leggi il testo sulla televisione e completalo con la parola o l'espressione giusta fra le tre proposte sotto.*

Come è cambiata la tv?

"La Rai, Radio Televisione Italiana, ha iniziato oggi il suo regolare servizio di

_____ (1) televisive". Queste le parole pronunciate dalla prima

annunciatrice (2).

Era il 1954: la Rai offriva un solo _____ (3), una programmazione di poche ore,

due colori, il bianco e il nero e tutta una serie di grigi, che lasciavano spazio alla fantasia

di chi guardava.

Gli apparecchi televisivi allora erano solo 15.000 in Italia e ognuno costava almeno come

una moto. Davanti al televisore si riunivano familiari, amici, vicini di casa, conoscenti.

La tv _____ (4), informava, intratteneva.

È passato oltre mezzo secolo, periodo in cui la televisione si è trasformata e ha trasformato

anche noi. È entrata nelle nostre vite, portandoci in quelle degli altri.

Lungo il percorso siamo passati dall'analogico al satellitare e poi al digitale terrestre.

All'inizio si condivideva una trasmissione con gli altri e insieme a loro si commentava,

ci si informava. Poi siamo passati a condividere _____ (5) del telecomando.

Oggi invece niente più lotte in famiglia per decidere che cosa guardare: ognuno davanti

al proprio _____ (6) della tv o del computer può scegliere liberamente il proprio

programma preferito. E i commenti? Sui social network, attuali e globalizzati.

1	**a**	commissioni	**b**	trasmissioni	**c**	informazioni
2	✓	annunciatrice	**b**	valletta	**c**	attrice
3	**a**	programma	**b**	pubblicità	**c**	canale
4	**a**	partecipava	**b**	istruiva	**c**	eseguiva
5	**a**	il voto	**b**	il pericolo	**c**	l'uso
6	**a**	schermo	**b**	quadro	**c**	periodico

3 *In alcuni casi uno slogan pubblicitario diffuso dalla tv diventa molto popolare e si trasforma in un modo di dire. Prova a ricostruire i seguenti slogan e associali al loro significato.*

PROVERBI E MODI DI DIRE

O Pomì.   Più lo   più ti

tira su!   O così.   mandi giù,

_____ = Una cosa può essere fatta bene solo in un modo.

_____ = Bevendolo ti senti meglio.

184

4 *Associa ogni tasto del telecomando alla sua funzione.*

Istruzioni d'uso

____ Avvia la registrazione.

____ Imposta su DVD la modalità di funzionamento.

____ Avvia la riproduzione.

____ Imposta su HDD (alta definizione) la modalità di funzionamento.

____ Selezionano le opzioni del menu.

____ Accende/Spegne l'apparecchio.

____ Controlla il livello dell'audio.

____ Arresta la riproduzione o la registrazione.

5 *Ascolta il dialogo più volte e metti in ordine le espressioni secondo le istruzioni di Francesca.*

____ selezionare l'italiano

____ selezionare l'opzione "originale" nella lista lingue e poi premere "enter"

____ prendere il telecomando del lettore blu ray

____ premere il tasto "menu" e poi "menu audio"

____ selezionare il punto "sottotitoli"

6 *Inserisci le forme corrette dei verbi al gerundio, come nell'esempio. Usa il pronome se necessario.*

1 Spesso trascorro la domenica pomeriggio *(fare)* _____ zapping da un canale all'altro.

2 Molti spettatori risolvono il problema della troppa pubblicità *(cambiare)* _____ semplicemente canale.

3 Mi informo *(ascoltare)* _____ le notizie alla radio.

4 Se i ragazzi perdono la loro trasmissione preferita, la vedono il giorno dopo *(scaricare)* _____ da Internet.

5 Con le tecniche del digitale terrestre si rielaborano meglio i dati trasmessi, *(comprimere)* _____ in modo più efficace.

6 *(Seguire)* _____ i telegiornali di emittenti diverse si hanno notizie più complete.

7 *Completa il cruciverba con le forme del congiuntivo imperfetto.*

orizzontali
6 avere *(lei)*
9 dire *(Lei)*
10 partire *(tu)*
11 stare *(tu)*

verticali
1 fare *(noi)*
2 essere *(io)*
3 bere *(voi)*
4 parlare *(io)*
5 vedere *(loro)*
7 capire *(noi)*
8 dare *(lui)*

8 *Associa gli elementi della prima e della seconda colonna.*

1 Se Mario avesse più tempo libero,
2 Se potessi stabilire io i programmi televisivi,
3 Se i documentari interessanti non fossero spesso in orari impossibili,
4 Se seguiste il telegiornale tutti i giorni,
5 Se le emittenti private non interrompessero sempre i film con la pubblicità,
6 Se comprassi un decoder per il tuo vecchio televisore,

a sareste aggiornati sull'attualità.
b le seguirei più volentieri.
c guarderebbe tutte le partite della sua squadra del cuore.
d eliminerei i talk show, i reality e le fiction.
e potresti avere il digitale terrestre.
f sarebbero più seguiti.

9 *Completa le frasi inserendo i verbi della lista e poi trasformale al plurale (se possibile), come nell'esempio.*

> offrisse | mancherebbe | ~~utilizzassi~~ | prendesse

1 Se non _utilizzassi_ il digitale terrestre, non potrei più vedere la televisione.

   Se non utilizzassimo il digitale terrestre, non potremmo più vedere la televisione.

2 Se l'emittente _____ più programmi in alta definizione, le trasmissioni avrebbero una migliore qualità dell'immagine.

   _____

3 Se _____ un ricevitore esterno, potrebbe vedere il digitale terrestre anche con il suo televisore.

   _____

4 Se guardasse meno televisione, non gli _____ il tempo di leggere qualche libro.

   _____

10 *Forma delle frasi, come nell'esempio.*

1 io   essere portato   attività manuali   fare da solo   lavori di bricolage   casa

   Se fossi portato per le attività manuali, farei da solo i lavori di bricolage a casa.

2 noi   riuscire   ottenere   ferie   maggio   potere fare   viaggio   bicicletta   Sicilia

_____

3 Lucia   non lavorare   così tanto   andare   più spesso   trovare   nonna

_____

4 io   essere   meno timido   fare amicizia più facilmente

_____

5 voi   fare   cura termale   rilassarsi   un po'

_____

6 io   sapere   sciare   andare   montagna   inverno

_____

7 Federico e Guglielmo   cambiare lavoro   prendere   stipendio più basso

_____

8 tu   costruire   casa   tecnologia più avanzata   risparmiare

_____

11 *Descrivi la foto.*

_____
_____
_____
_____
_____

Ripassiamo

12 *Scegli la forma giusta, tra quelle evidenziate.*

Per le vacanze abbiamo affittato un **bel/bell**'appartamento con quattro **locali/piani** e vista **nel/sul** golfo. Che meraviglia! Ce lo hanno **consigliati/consigliato** degli amici, **quelli/quegli** con cui eravamo andati in vacanza l'estate scorsa in montagna. Purtroppo non c'era il **climatizzatore/congelatore** e di giorno faceva un caldo insopportabile, ma di notte c'era sempre una **bella/bell**'aria fresca e si dormiva bene. La spiaggia era a due passi da casa: **l'/la** abbiamo **trovata/trovato** appena arrivati e abbiamo fatto subito un **bel/bello** bagno.

Fonetica, ritmo e intonazione

CD ROM ▶ 23 **13** Le interiezioni
Ci sono delle parole che vengono inserite nella frase per rafforzarla.
Per questo motivo è importante pronunciarle con la giusta intonazione.
Ascolta le frasi tratte dal dialogo del punto 7 della lezione e ripeti ad alta voce.

Ah, io mi guardo il Festival di Sanremo!

Boh, non lo so, vedremo cosa danno!

Beh, ormai sono grandi...

Mah, sarà che io non ho figli...

Eh, che abitudinaria!

Oh, ragazze non vorremo mica litigare per questo!

Dossier

14 Scrivi un breve testo sulla tua trasmissione preferita.

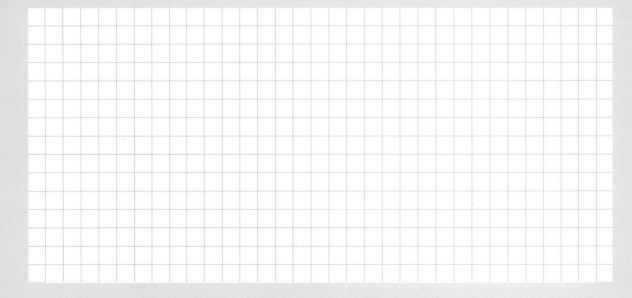

Esercizi

1 *Ti ricordi le forme del passivo introdotte nella lezione **7**?*
Completa le frasi con i verbi della lista alla forma passiva e al tempo indicato.

> rappresentare | visitare | ritrovare | costruire | preparare | pubblicare

1. Le due statue dei Bronzi di Riace *(passato prossimo)* _____ nel Mar Ionio nel 1972.
2. Un liquore tipico della Sardegna, *(presente)* _____ con le bacche della pianta del mirto.
3. La Torre di Pisa *(passato prossimo)* _____ nel XII secolo.
4. Le città d'arte italiane *(presente)* _____ ogni anno da milioni di turisti.
5. Per l'apertura del Festival Lirico di Verona *(futuro)* _____ l'opera Don Giovanni.
6. Prima dell'estate *(futuro)* _____ un elenco delle spiagge e dei mari più puliti d'Italia.

2 *Formula delle regole culinarie e poi trasforma le frasi, come nell'esempio.*

> cuocere nel forno a legna | condire | ~~condire con il sugo all'amatriciana~~
> grattugiare fresco e non comprare in bustina | non usare | cucinare
> non bere dopo il pranzo/la cena | non mettere

1. I bucatini *vanno conditi con il sugo all'amatriciana.*
   I bucatini devono essere conditi con il sugo all'amatriciana.
2. Gli spaghetti _____ *al dente.*
   _____
3. La pizza _____
   _____
4. Il parmigiano _____
   _____
5. Le trenette _____ *con il pesto.*
   _____
6. Il vino rosso _____ *in frigo.*
   _____
7. Con il risotto ai frutti di mare _____ *il parmigiano.*
   _____
8. Il cappuccino _____
   _____

3 *Completa il testo con le preposizioni della lista.*

> nell' | per | dei | fino ai | da | con | sulle | del (3) | a (3) | di (2)

La polenta è un piatto antico che è arrivato _____ giorni nostri senza

grandi modifiche. È una specialità diffusa soprattutto _____ Italia _____

Nord ed è considerato un piatto povero perché compariva _____ tavole

_____ contadini. Il successo dipendeva _____ tre fattori che apparten-

gono _____ un'altra epoca: il fuoco _____ camino _____ legna, il

paiolo di rame e il tempo _____ girare la polenta _____ pazienza

(almeno un'ora). Oggi spesso mancano questi "ingredienti" e ci si deve

accontentare _____ fornello _____ gas, _____ una pentola normale

e _____ una polenta istantanea, che cuoce velocemente.

4 *Completa le frasi cercando le parole nella griglia (in orizzontale o in verticale, in entrambi i sensi).*

1 Hai preso in _____ i libri in biblioteca?

2 Quando mi sono trasferita ho dovuto comunicarlo
   agli uffici del _____ .

3 Ricordati di andare in banca a fare il _____ .

4 Stefano non abita più a Trieste,
   ha cambiato _____ .

5 È arrivata la _____ del gas da pagare.

6 Hai già presentato la domanda per il
   _____ di soggiorno?

O	C	I	F	I	N	O	B	U
V	I	F	O	S	J	T	O	B
Z	K	H	S	D	K	I	L	S
X	A	W	S	H	Q	T	L	S
A	Z	N	E	D	I	S	E	R
M	C	O	M	U	N	E	T	P
U	N	M	R	R	P	R	T	D
T	R	H	E	D	S	P	A	E
R	N	J	P	C	R	R	P	N

5 *Completa il testo con il passato prossimo dei verbi modali **potere**, **volere** o **dovere**. Sono possibili più soluzioni.*

```
○○○                          messaggi
```

DariaD

Ciao. Mi chiamo Daria e ho voglia di cambiare vita! Sono stanca della solita gente e delle solite cose. Vorrei vivere in una grande città. Il mio sogno è trasferirmi a Milano ma non so da dove cominciare. C'è qualcuno di voi che può darmi qualche consiglio? Grazie a tutti e ciao!

Larettaxx

Cara Daria, sono Lara. Il mio consiglio è di non trasferirti se non hai un lavoro e un appartamento. Io _____ fare questa esperienza e dopo due mesi _____ tornare a casa dei miei!

QdiQuintino

Hai amici a Milano? Allora stai da loro per un po' e dai un'occhiata alla città prima di decidere. Io _____ sempre _____ scappare dalla città, mi affascinava il silenzio, la solitudine. Un'estate ho affittato una casa in campagna per provare e dopo due settimane _____ partire perché non resistevo più!

CarlettoR

Io mi sono trasferito l'anno scorso. _____ cambiare città per poter frequentare l'università. Non mi sono iscritto a Parma, come volevo, perché non c'era la mia facoltà, ma _____ comunque scegliere una bella città come Bologna e mi trovo benissimo. Informati bene prima di scegliere!

6 *Metti in ordine il testo.*

Se cambi casa, devi comunicare il trasferimento di residenza presso il Comune in cui si trova la nuova abitazione. Per il cambio di residenza segui questi passi.

___ Dovrai portare con te per la pratica agli uffici del Comune alcuni documenti: la tua carta d'identità, la patente, la copia del contratto d'affitto della casa o appartamento in cui ti sei trasferito. Tutto questo ti servirà per dimostrare la tua posizione.

___ Innanzitutto recati presso gli uffici del Comune della città in cui ti stabilisci. Se ti trasferisci con la famiglia è sufficiente che la denuncia venga fatta per tutti da un membro maggiorenne della famiglia.

___ La dichiarazione del cambio di residenza porta altre variazioni (cambio di indirizzo sulla patente per esempio) che avranno luogo automaticamente grazie alla comunicazione fatta dall'ufficio comunale.

___ Infine, per non perdere la corrispondenza, ti conviene usare il servizio a pagamento fornito dalle Poste Italiane, a cui puoi richiedere la spedizione della tua posta al nuovo indirizzo.

___ Inoltre verranno aggiornate automaticamente le liste elettorali a cui sei iscritto e verrà informato l'ufficio competente per la raccolta dei rifiuti. Dovrai occuparti tu invece, come utente, delle pratiche per i contratti di acqua, luce, gas, telefono e abbonamento Rai.

_3_ Un impiegato comunale esaminerà i tuoi dati e ti verrà rilasciato un foglio provvisorio. Più tardi ti verrà inviato a casa l'originale.

7 *Il signor Verri ha ricevuto una bolletta dell'acqua troppo alta. Partendo dalle informazioni date tra parentesi completa il dialogo tra lui e l'impiegato della società che fornisce il servizio.*

■ _____

○ Buongiorno, mi dica.

■ (*bolletta troppo alta, errore*) _____

_____

○ Strano... Lei dice? Forse questo mese avete consumato più corrente...

■ (*vivere solo, essere via per lavoro*)

_____

○ Ma è venuto qualcuno a leggere il contatore?

■ (*dare chiavi vicina*) _____

o Quindi Lei non c'era quando è stato letto il contatore?

■ *(no, volere spiegazioni per errore bolletta)* _____

_____

o Beh non so dire ... Bisogna verificare la procedura.

■ *(avere poco tempo)* _____

o Ma si può rivolgere anche al numero verde per informazioni sulla bolletta.

■ *(numero sempre occupato, avviare pratica)* _____

_____

o Allora compili questo modulo, per cortesia.

CD ROM ▶ 24

a *Ascolta il dialogo e associa le espressioni ai disegni.*

| carro attrezzi | vigile | multa | tabaccheria | divieto di sosta |

1 _____

_____

3 _____

2 _____

CD ROM ▶ 24

b *Riascolta il dialogo e segna con una "X" le affermazioni esatte.*

1 ☐ Marco va sempre a lavorare in macchina.

2 ☐ Le multe si possono pagare solo in tabaccheria.

3 ☐ Marco ha parcheggiato in divieto di sosta.

4 ☐ La macchina di Marco è stata portata in un'officina dal carro attrezzi.

5 ☐ Marco ha pagato una multa di 150 euro.

9 *Ricostruisci le forme verbali del passato remoto e associale alle persone, come nell'esempio.*

io: _____

tu: _____

lui, lei, Lei: _andò_ _____

noi: _____

voi: _____

loro: _____

ese ~~an~~ ve ven
fum eb vendet
dis con chiede
fa

~~dò~~ bero mo trollai sti
gvimmo se ceste
ne
tero desti

10

a *Ecco un testo sulla vita di Dante Alighieri. Cerca le forme del passato remoto, trascrivile nel quaderno e risali al verbo da cui derivano, come nell'esempio.*

Dante Alighieri fu poeta, scrittore e politico ed è considerato il padre della lingua italiana. Nacque a Firenze nel 1265. Imparò da solo l'arte della poesia e strinse amicizia con alcuni dei poeti più importanti del tempo. Ancora giovanissimo conobbe Beatrice, figura femminile centrale nella sua opera. La morte di Beatrice nel 1290 segnò per Dante un momento di crisi, un passaggio a un impegno morale, che portò il poeta ad entrare attivamente nella vita politica della sua città. Nel 1300 Dante venne eletto priore, la carica più importante del comune fiorentino. Ma nel 1302 proprio a causa dell'impegno politico il poeta fu condannato all'esilio. Da allora Dante non poté più rivedere la sua città natale. Negli anni dell'esilio, viaggiò per l'Italia centrale e settentrionale e continuò a sostenere le sue idee politiche. L'esilio rappresentò un momento di sofferenza, ma anche un nuovo motivo per la sua produzione poetica: lontano da Firenze fu in grado di vedere in modo più chiaro la situazione della vita politica, morale e civile della città. Le esperienze della sua vita ispirarono il suo capolavoro, "La Divina Commedia", considerata ancora oggi la più grande opera scritta in italiano. Morì a Ravenna nel 1321.

fu → essere...

b *Ora rileggi il testo e decidi quali affermazioni sono vere. Segnale con una "X".*

1. ☐ Dante visse tra il tredicesimo e il quattordicesimo secolo.
2. ☐ Dante si occupò di politica già da ragazzo.
3. ☐ Dante ebbe una carica importante nella sua città.
4. ☐ Dante scrisse "La Divina Commedia" quando era a Firenze.
5. ☐ Dante dopo il 1302 non poté più tornare a Firenze.

la "sardenaira"

11 *Inserisci nel testo le forme del passato remoto che trovi nella lista.*

| fu conosciuta | ebbe | giunsero | rappresentò | nacque | unì | fu | vennero integrati |

Anche se qualche napoletano non sarà contento di sentirlo, la prima pizza _____ in Liguria, già alla fine del XV secolo. Il suo nome era "sardenaira" (fatta con le sardine) o pizza all'Andrea, in onore dell'ammiraglio Andrea Doria. Forse _____ proprio lui a inventarla, durante uno dei suoi viaggi in nave. La "sardenaira" _____ per lungo tempo come "focaccia bianca". Quando i pomodori _____ in Europa dal Sudamerica, nel XVI secolo, _____ come ingrediente base della ricetta. La "sardenaira" _____ così i pomodori ai prodotti della zona, l'olio, le sardine, le olive, i capperi e l'origano in un'unica saporita ricetta che _____ un grande successo anche nei secoli seguenti e _____ simbolicamente un modo semplice, economico e genuino di cucinare.

12 *Completa i modi di dire con le parole mancanti.*

PROVERBI E MODI DI DIRE

Uh, il professore è _____ = È noioso.

Rivolgiti a Franco, che è una pasta _____ = È molto disponibile e gentile.

Leonardo _____ di pane. = È molto buono.

d'uomo

un pezzo

una pizza

Ripassiamo

13 **a** *Inserisci le forme al passato prossimo o all'imperfetto dei verbi* **sapere**, **conoscere**, **finire**, **cominciare**. *Sono possibili più soluzioni.*

1 ○ *(Tu - sapere)* _____ che Serena ha perso il lavoro?

  ■ Davvero? No, non lo _____. Mi dispiace!

2 Il festival del cinema _____ ieri e finirà la settimana prossima.

3 Non *(io)* _____ la ricetta della sardenaira. L'ho scoperta l'anno

  scorso quando sono stata in vacanza a Sanremo.

4 Alberto, Ilaria, quando _____ a costruire la vostra nuova casa?

5 I signori Cecchi _____ di fare l'inalazione e ora vanno in piscina.

b *Inserisci le forme corrette di* **buono**.

Vi auguro: _____ viaggio, _____ vacanze, _____ studio,

_____ anno, _____ giornata, _____ festeggiamenti, _____ Epifania.

Fonetica, ritmo e intonazione

CD ROM ▶ 25 **14** Gli scioglilingua
*Lo "scioglilingua" è composto da parole molto simili, spesso
in rima, che ne rendono difficile la pronuncia ad alta voce.
Ascolta e prova a ripetere.*

Oggi sereno è,
domani seren sarà,
se non sarà seren
si rasserenerà.

Al pozzo di santa Pazzia, protettrice dei pazzi, c'è una pazza
che lava una pezza. Arriva un pazzo con un pezzo di pizza.
Dice alla pazza: "Ne vuoi un pezzo?" La pazza rifiuta, il pazzo
si infuria. Butta la pazza, la pezza, la pizza nel pozzo di santa
Pazzia, protettrice dei pazzi.

Dossier

15 Scrivi un breve testo sull'uso del dialetto nella tua famiglia d'origine
o sull'uso del dialetto nella regione da cui provieni o in cui abiti.

Test Unità 8-10

Segna la risposta corretta con una "X".

1 Il film che ho visto ieri sera aveva molti effetti speciali, era ....

☐ un film di fantascienza
☐ un film drammatico   ☐ un film storico

2 Non conosco la trama del film, ma ...... è molto famoso.

☐ la protagonista   ☐ la sceneggiatura
☐ lo sceneggiatore

3 ● Potrei parlare con Gianna, per favore?
■ Sì, gliela ..... subito.

☐ dico   ☐ passo   ☐ comunico

4 Mentre aspettavamo davanti al cinema, ... dei nostri colleghi.

☐ incontravamo
☐ abbiamo incontrato   ☐ incontrando

5 Cecilia non ama leggere libri troppo impegnativi: non le piacciono né i ...... né i ....

☐ libri di cucina   ☐ romanzi rosa
☐ romanzi storici   ☐ saggi
☐ fumetti   ☐ libri d'avventure

6 Ho finalmente prenotato il viaggio negli Stati Uniti che ...... rimandare l'anno scorso.

☐ avevo dovuto   ☐ dovevo

7 ...... è stata introdotta nel 2004.

☐ La tv in bianco e nero   ☐ La tv a colori
☐ La tecnologia digitale terrestre

8 ...... sono trasmissioni che intrattengono e divertono, mentre ..... informano e istruiscono il pubblico.

☐ Le previsioni del tempo   ☐ i talk show
☐ I telegiornali   ☐ i reality show
☐ I varietà   ☐ i documentari

9 ...... sta portando al presentatore del telequiz la busta con le domande.

☐ La puntata   ☐ La battuta   ☐ La valletta

10 Quando ero bambino passavo il pomeriggio ...... i fumetti.

☐ leggevo   ☐ letto   ☐ leggendo

11 Se l'imitatore non ...... così noioso, guarderei il programma più volentieri.

☐ foste   ☐ fosse   ☐ sia

12 Se Franco ...... più canali con la tv, ... la serata a fare zapping da uno all'altro.

☐ prenda   ☐ passi
☐ prendessi   ☐ passerebbe
☐ prendesse   ☐ passerei

13 Dante Alighieri è nato nel 1265, cioè nel secolo ....

☐ dodicesimo   ☐ quattordicesimo
☐ tredicesimo

14 Sono stata in banca per ...... un bonifico.

☐ fare   ☐ prendere in prestito   ☐ chiedere

15 Ho reclamato per la ..... sbagliata direttamente alla società che fornisce ....

☐ bolletta   ☐ il servizio
☐ scontrino   ☐ il soggiorno
☐ mancia   ☐ la residenza

16 ● Dove posso pagare la multa?
■ ...... pagata in tabaccheria o alla posta.

☐ È   ☐ Va   ☐ Sta

17 All'inizio dell'anno ...... cercare un nuovo lavoro.

☐ ho dovuto   ☐ sono dovuto

18 Per regolare il contratto Gianni ...... andare dal notaio.

☐ è dovuto   ☐ ha dovuto

19 La pizza più famosa ...... inventata a Napoli.

☐ fu   ☐ fui   ☐ fosse

20 Quando ...... la lettura del contatore io non c'ero.

☐ facciano   ☐ fecero   ☐ feci

Grammatica

*La seguente sezione approfondisce i contenuti grammaticali trattati in **Chiaro! B1.** Non intende ovviamente rappresentare un quadro completo della grammatica italiana, ma servire da riferimento per il ripasso e fornire le risposte alle domande più frequenti degli studenti. Per un'ulteriore revisione grammaticale, rimandiamo all'ultima pagina di ciascuna lezione. Le fascette* L 1 *indicano la lezione nella quale viene trattato il tema grammaticale in questione (la Lezione 1 nell'esempio). Per la revisione dei tempi verbali presentati nel volume, si consiglia inoltre di consultare la tabella in terza di copertina.*

Contenuti

Riepilogo dei termini grammaticali

termine	esempio	termine	esempio
aggettivo	il caffè **macchiato**	numero cardinale	**uno, due, tre**...
aggettivo dimostrativo	Prendo **quelle** mele.	numero ordinale	**primo, secondo**...
aggettivo indefinito	**ogni** mattina	participio passato	Ho **lavorato** molto.
articolo → articolo determinativo → articolo indeterminativo → articolo partitivo	**la** pasta, **il** gelato **una** pizza, **un** caffè Vorrei **della** frutta.	passato prossimo	**Sono partito.**
		passivo	La pizza **fu inventata** a Napoli.
avverbio	Sto **bene**.	plurale	pizz**e**, gelat**i**...
comparativo	È **più facile** viaggiare.	preposizione	**di, a, da, in**...
complemento di termine	Scrivo **a un'amica**.	presente	Adesso **sono** a casa.
complemento oggetto	Mangio **gli spaghetti**.	pronome dimostrativo	Prendo **quelle**.
condizionale	Io **andrei** a Ginevra.	pronome personale	**io, tu, noi**...
congiuntivo	Penso che tu **abbia** ragione.	pronome personale oggetto diretto	Non **lo** so.
congiunzione	Maria **e** Paolo	pronome personale oggetto indiretto	**Le** scrivo.
coniugazione	Io **parlo**, tu **parli**...		
consonante	**b, c, d, v**...	pronome relativo	È una persona **che** conosco.
desinenza	io abit**o**, tu abit**i**... i gelat**i**	pronome/aggettivo interrogativo	**Che** lingue parli?
femminile	**Lei** è spagnol**a**.	riflessivo → pronome riflessivo → verbo riflessivo	**Mi** riposo. **Mi** riposo.
forma progressiva	Ora **sto scrivendo**.		
funzione modale	Passo la settimana **aspettandole**.	singolare	gelat**o**, birr**a**
		sostantivo	**mare, pasta, vino**...
funzione temporale	Si alza **togliendosi** gli auricolari.	superlativo → superlativo assoluto → superlativo relativo	Sto **benissimo**. "Amore" è **la parola** **più bella**.
futuro semplice	Domenica **partirò**.		
gerundio	Sto **scrivendo**.		
imperativo	Mi **dica**.	trapassato prossimo	**Avevo dormito** bene.
imperfetto	**Studiavo** al liceo.	verbo	**mangiare, bere**...
infinito	Vorrei **pagare** subito.	verbo ausiliare	**Ho** lavorato molto.
maschile	**Lui** è spagnol**o**.	verbo modale	**Devo** lavorare.
negazione	Oggi **non** lavoro.	vocale	**a, e, i, o, u**

1 Aggettivi

L 1

1.1 Gli aggettivi seguiti da preposizioni

*A seconda del contesto e del loro significato, alcuni aggettivi si utilizzano insieme a una preposizione, solitamente seguita da un verbo o da un sostantivo. In **Chiaro! B1** sono presenti i seguenti aggettivi seguiti da preposizione:*

bravo a + infinito	Sono **bravo a** dipingere mobili.
capace di + infinito	Sono **capace di** dipingere mobili.
bravo in + sostantivo	Sono **bravo in** matematica.
portato per + sostantivo	Sono **portato per** la geografia.
negato per + sostantivo	Sono **negato per** il disegno.

L 2

1.2 Gli aggettivi in *-bile*

*Gli aggettivi che finiscono in **-bile** esprimono una possibilità:* Una località **raggiungibile**.

• *Gli aggettivi in **-bile** si formano spesso a partire da verbi.* *Se derivano da verbi che finiscono in **-are** prendono il suffisso **-abile**.* *Se derivano da verbi che finiscono in **-ere** o **-ire** prendono il suffisso **-ibile**.*	pensare ⟶ pens**abile** leggere ⟶ legg**ibile** sostituire ⟶ sostitu**ibile**
• *Il prefisso **in-** serve a dare all'aggettivo un significato negativo.*	Un viaggio **indimenticabile**.
• *Il prefisso **in-** si modifica davanti ad alcune consonanti:* **in + b** ⟶ **imb-** **in + p** ⟶ **imp-** **in + l** ⟶ **ill-** **in + m** ⟶ **imm-** **in + r** ⟶ **irr-**	La mia squadra è **imbattibile**. È una cosa **impensabile**. La tua scrittura è **illeggibile**. Questa minestra è **immangiabile**. Quella località è **irraggiungibile**.

🛈 Alcuni aggettivi in *-bile* hanno forme irregolari, per esempio:

bere ⟶ **bevibile**   fare ⟶ **fattibile**   potere ⟶ **possibile**

2 Pronomi

2.1 I pronomi relativi *che* e *cui*

I pronomi relativi sostituiscono sostantivi e servono a collegare due frasi. **Che** *e* **cui** *sono invariabili.*

• *I pronomi relativi* **che** *e* **cui** *possono riferirsi sia a cose che a persone.*	**Il libro che** sto leggendo è interessante. **La ragazza di cui** mi hai parlato è simpatica.
• **Che** *può fungere sia da soggetto che da oggetto diretto.*	**Le persone che** frequentano il corso sono simpatiche. **Il corso che** frequento è interessante.
• **Cui** *funge da oggetto indiretto ed è preceduto da una preposizione.*	Questo è **il libro di cui** ti ho parlato. Lucia è **l'amica a cui** ho dato il libro.

ℹ️ *Il pronome relativo* **che** *si usa spesso dopo* **quello***:*

Un amico dovrebbe dirmi **quello che** pensa.

2.2 Il pronome relativo *chi*

*Oltre a fungere da pronome interrogativo (***chi?***, cfr.* **Chiaro! 1***),* **chi** *svolge anche la funzione di pronome relativo. È invariabile, si riferisce sempre a persone, ed è seguito da un verbo al singolare:*
C'è chi **offre** consigli via web.

2.3 La particella pronominale *ci*

La particella pronominale **ci** *si usa spesso per evitare ripetizioni. Si trova prima del verbo coniugato.*
Ecco alcuni usi di **ci** *presentati nel corso* **Chiaro!***:*

Ci sostituisce:	
• *un luogo nominato in precedenza*	Vai spesso in Francia? Non **ci** sono mai stato./Sì, **ci** vado spesso.
• *un complemento introdotto dalla preposizione* **a** *e riferito a cose o argomenti.*	Non **ci** credo. Pensi mai al futuro? In realtà non **ci** penso mai.

2.4 I pronomi combinati

▶ *In italiano è possibile combinare due pronomi oggetto atoni (cfr. **Chiaro! A2**). I pronomi indiretti (per es. **ti**) si trovano prima di quelli diretti (per es. **lo**):*

Te lo prendo.

• *La -**i** dei pronomi indiretti diventa -**e**:* mi → **me** ti → **te** ci → **ce** vi → **ve**	**Me lo** dici?
• *I pronomi **gli** e **le** si uniscono (**glie-**) e formano una sola parola con il pronome diretto che segue.*	**Glielo** dici? I massaggi? Sì, **glieli** consiglio.
• *La negazione **non** si trova davanti al pronome combinato.*	**Non te lo** dico.

▶ *I pronomi atoni possono combinarsi anche con **ne**:*

Quanti massaggi vi prenoto?
Ce ne prenoti due.

▶ *Le forme combinate sono le seguenti:*

	lo	la	li	le	ne
mi	me lo	me la	me li	me le	me ne
ti	te lo	te la	te li	te le	te ne
gli/le	glielo	gliela	glieli	gliele	gliene
ci	ce lo	ce la	ce li	ce le	ce ne
vi	ve lo	ve la	ve li	ve le	ve ne
gli	glielo	gliela	glieli	gliele	gliene

2.5 La posizione dei pronomi

I pronomi oggetto atoni e i pronomi riflessivi si uniscono ai seguenti elementi:

• *ecco*	Le do il biglietto. Ecco**lo**.
• *gerundio*	... dice Will togliendo**si** gli occhiali.
• *infinito*	Le faceva piacere aver**mi** vicino.
• *imperativo* *(esclusa la forma di cortesia con **Lei**)*	Milioni di volontari si impegnano ogni giorno: aiuta**li** anche tu.

3 Possessivi

L'aggettivo _proprio_

Le forme

L'aggettivo **proprio** concorda in genere e numero con il sostantivo al quale si riferisce:

la propri**a città**, i propr**i** vicini, le propri**e** esigenze.

L'uso

▸ _**Proprio** si utilizza al posto di **suo** nella costruzione impersonale con **si**:_

Si contatta l'angelo adatto alle **proprie** esigenze.   ~~**Si contatta** l'angelo adatto alle **sue** esigenze.~~

▸ _**Proprio** si utilizza al posto di **suo** quando il soggetto è indefinito, per esempio con verbi impersonali come **bisogna** e **occorre**:_

Occorre indicare sul sito il **proprio** livello
di disponibilità.

▸ _**Proprio** sostituisce **suo** anche quando il soggetto è un pronome indefinito (per es. **ognuno**, **nessuno**, **tutti**) o il pronome relativo **chi**:_

Ognuno sceglie il **proprio** "cicerone".
C'è **chi** offre ospitalità in casa **propria**.

▸ _**Proprio** si usa infine al posto di **suo** nei casi in cui quest'ultimo potrebbe creare ambiguità:_

Maria fa jogging con un amico e il suo cane. ⟶ Maria fa jogging con un amico e il **proprio** cane.

4 Sostantivi

I sostantivi in _-tore_

I sostantivi maschili in **-tore** (spesso riferiti a mestieri) prendono il suffisso **-trice** al femminile:

l'at**tore** ⟶ l'at**trice**   lo sceneggia**tore** ⟶ la sceneggia**trice**   il produt**tore** ⟶ la produt**trice**

5.1   I verbi seguiti da infinito

In alcuni casi un verbo coniugato può essere seguito da un infinito, preceduto o meno da una preposizione.

▶ *I verbi* **piacere**, **dovere**, **volere**, **potere**, **sapere** *e* **bisogna** *sono seguiti direttamente dall'infinito:*

Mi piacerebbe frequentare un corso di tango.
Vorrei adottare un trovatello, per esempio un cane.
Non **bisogna avere** titoli di studio.

▶ *I verbi* **riuscire**, **aiutare** *e* **imparare** *sono seguiti dalla preposizione* **a** + *infinito:*

Riesco a fare bene questo lavoro perché ho pazienza.
Aiuto Martina **a curare** gli animali.
Ho imparato a ballare il tango.

▶ *I verbi* **sperare** *e* **occuparsi** *sono seguiti dalla preposizione* **di** + *infinito:*

Spero di realizzare questo sogno.
L'Enpa **si occupa di trovare** una famiglia agli animali.

5.2   La forma impersonale

5.2.1   I verbi riflessivi alla forma impersonale

Per evitare la ripetizione di **si***, in italiano la costruzione impersonale dei verbi riflessivi alla terza persona singolare si forma con* **ci si***. La negazione* **non** *si trova sempre prima del verbo.*

registrarsi ⟶ **Ci si registra** gratuitamente.
perdersi ⟶ In questa città **non ci si perde**.

5.2.2   La forma impersonale *(si)* con sostantivi e aggettivi

Nella costruzione impersonale con **si** *e in presenza del verso* **essere***, i sostantivi e gli aggettivi assumono una forma plurale anche se il verbo resta alla terza persona singolare:*

Quando **si era** giovan**i**...
Quando **si era** bambin**i**...

ⓘ *In questo tipo di costruzione sostantivi e aggettivi figurano generalmente al maschile, a meno che non si riferiscano a cose o persone specificamente e unicamente femminili:*

Quando **si era** bambin**e** si giocava in giardino...

5.3   I verbi impersonali *(occorre)*

Occorre *(=* **bisogna***) esprime necessità. Si trova sempre alla terza persona singolare, è seguito da un infinito e non si può utilizzare nei tempi composti (per es. al passato prossimo):*

Per "diventare angelo" **occorre registrarsi** al sito.

5.4 L'uso dell'imperfetto e del passato prossimo con *mentre*

▶ *Per descrivere due azioni che si svolgono nel passato e avvengono contemporaneamente si utilizza* ***mentre*** *+ infinito:*

Io **studiavo** in cucina **mentre** la nonna **lavorava** a maglia.

▶ *Per esprimere un'azione passata che non si è ancora conclusa nel momento in cui inizia una seconda azione, si adopera l'imperfetto per la prima e il passato prossimo per la seconda:*

Stamattina **mentre facevo** la spesa **ho incontrato** Paola.
Mentre aspettavo l'autobus **è arrivato** Giovanni.

5.5 Il congiuntivo

*In **Chiaro! B1** figurano il congiuntivo presente e il congiuntivo imperfetto.*

5.5.1 Il congiuntivo presente

5.5.1.1 Le forme

Le forme regolari

Il congiuntivo presente si forma a partire dall'infinito. Tutte le forme singolari sono identiche. Per evitare ambiguità, spesso in presenza del congiuntivo presente si esplicita il soggetto.

	abitare	vivere	sentire	finire
(io)	abiti	viva	senta	fin*isca*
(tu)	abiti	viva	senta	fin*isca*
(lui, lei, Lei)	abiti	viva	senta	fin*isca*
(noi)	abit**iamo**	viv**iamo**	sent**iamo**	fin**iamo**
(voi)	abit**iate**	viv**iate**	sent**iate**	fin**iate**
(loro)	abit**ino**	viv**ano**	sent**ano**	fin*isc*ano

Per la formazione del congiuntivo presente valgono inoltre le seguenti regole:
• *la prima persona plurale **(noi)** è identica alla prima persona plurale dell'indicativo presente;*
• *i verbi in **-ire** conservano l'ampliamento del tema verbale in **-isc**;*
• *i verbi in **-care** e **-gare** presentano una **-h-** prima delle desinenze del congiuntivo:*

cercare ⟶ cer**ch**i, cer**ch**i, cer**ch**i, cer**ch**iamo, cer**ch**iate, cer**ch**ino
pagare ⟶ pa**gh**i, pa**gh**i, pa**gh**i, pa**gh**iamo, pa**gh**iate, pa**gh**ino

Le forme irregolari

Alle forme irregolari si applica quanto segue:
• *Le forme singolari e la terza persona plurale derivano dalla radice della prima persona singolare dell'indicativo presente. La desinenza **-o** diventa **-a**:*

andare - vad**o** ⟶ vad**a**, vad**ano**   dire - dic**o** ⟶ dic**a**, dic**ano**
fare - facci**o** ⟶ facci**a**, facci**ano**

• Per i verbi **essere** e **avere** non è possibile risalire al congiuntivo presente dalle forme dell'indicativo presente.

	andare	avere	dire	essere	fare	volere
(io)	vada	abbia	dica	sia	faccia	voglia
(tu)	vada	abbia	dica	sia	faccia	voglia
(lui, lei, Lei)	vada	abbia	dica	sia	faccia	voglia
(noi)	andiamo	abbiamo	diciamo	siamo	facciamo	vogliamo
(voi)	andiate	abbiate	diciate	siate	facciate	vogliate
(loro)	vadano	abbiano	dicano	siano	facciano	vogliano

5.5.1.2   L'uso del congiuntivo

▶ *Il congiuntivo si usa principalmente per esprimere un parere personale (proprio o altrui) su comportamenti, fenomeni ed eventi vari.*

▶ *Si trova perlopiù in frasi secondarie (subordinate) introdotte da **che**.*

Il congiuntivo si utilizza:	
• *dopo verbi che esprimono opinione, come* **credere, pensare, trovare**	Dino **crede/trova che** i ragazzi **facciano** bene a provare. Enzo **pensa che siano** due incoscienti.
• *dopo verbi che esprimono visioni o impressioni soggettive, come* **sembrare** *e* **parere**	Non ti **sembra che** la tecnologia **favorisca** l'isolamento? A me **pare che** non **sia** così grave.
• *dopo verbi che esprimono volontà, come* **volere**	Quando non **vuoi** che ti **disturbino**, che cosa fai?
• *dopo verbi che esprimono desiderio e speranza*	**Spero che** le energie non mi **abbandonino**.
• *dopo espressioni che servono a esternare sensazioni e sentimenti, come* **avere paura**	**Ho paura che** ci **sia** troppa burocrazia.
• *dopo espressioni che indicano necessità, come* **bisogna, occorre, è necessario.**	**Bisogna che** vi **informiate** bene. **È necessario che** le porte **restino** chiuse.

🛈 *Dopo le espressioni secondo **me/te/lui** ecc. e **per me/te/lui** ecc. si utilizza l'indicativo presente:*

Secondo me sono incoscienti.
Per lui i ragazzi **fanno** bene.

🛈 *Quando il soggetto della frase principale è uguale a quello della subordinata, in quest'ultima non si adopera il congiuntivo, bensì l'infinito (vedi il punto **5.6** sulle frasi implicite).*

5.5.2 Il congiuntivo imperfetto

Le forme regolari

▶ *Il congiuntivo imperfetto si forma a partire dall'infinito. Le desinenze sono identiche per tutte e tre le coniugazioni.*

▶ *Nel congiuntivo imperfetto non si mantiene l'ampliamento del tema verbale.*

	abitare	**vivere**	**sentire**	**finire**
(io)	abit*assi*	viv*essi*	sent*issi*	fin*issi*
(tu)	abit*assi*	viv*essi*	sent*issi*	fin*issi*
(lui, lei, Lei)	abit*asse*	viv*esse*	sent*isse*	fin*isse*
(noi)	abit*assimo*	viv*essimo*	sent*issimo*	fin*issimo*
(voi)	abit*aste*	viv*este*	sent*iste*	fin*iste*
(loro)	abit*assero*	viv*essero*	sent*issero*	fin*issero*

Le forme irregolari

Alcuni verbi presentano forme irregolari, per esempio:

	bere	**dire**	**essere**	**fare**	**dare**	**stare**
(io)	bevessi	dicessi	fossi	facessi	dessi	stessi
(tu)	bevessi	dicessi	fossi	facessi	dessi	stessi
(lui, lei, Lei)	bevesse	dicesse	fosse	facesse	desse	stesse
(noi)	bevessimo	dicessimo	fossimo	facessimo	dessimo	stessimo
(voi)	beveste	diceste	foste	faceste	deste	steste
(loro)	bevessero	dicessero	fossero	facessero	dessero	stessero

5.6 Frase principale e frase dipendente con soggetto identico o diverso

▶ *Se la frase principale e la subordinata hanno lo stesso soggetto, nella seconda il verbo è all'infinito, con o senza preposizione davanti:*

Io **spero di realizzare** questo sogno.
Bisogna risparmiare energia.
È necessario mettere i pannelli solari.
Ho paura di sprecare energia.

impersonal x preposition

▶ *Se il soggetto della frase principale è diverso da quello della subordinata, la seconda è introdotta da **che** e ha il verbo al congiuntivo:*

Spero che mio figlio **realizzi** questo sogno.
Bisogna che tutti **risparmino** energia.
Ho paura che lui **sprechi** energia.
È necessario che le finestre **restino** chiuse.

5.7 Stare per + infinito

Stare per (= **essere sul punto di**) *si utilizza per annunciare azioni o eventi imminenti:*

Il contratto **sta per entrare** in vigore.
Il contratto **stava per entrare** in vigore.

➕ **Stare per** + *infinito si utilizza solo nei tempi non composti come il presente, l'imperfetto, il futuro semplice, il condizionale presente, ecc.*

5.8 L'uso del futuro semplice

*Oltre agli usi già visti, il **futuro semplice** si utilizza anche:*

• *per fare supposizioni*	Che ore sono? Mah, **saranno** le sei.
• *nei periodi ipotetici (vedi punto **5.12.1**)*	

5.9 Il gerundio presente

5.9.1 L'uso

▶ *La formazione del gerundio presente è stata già trattata in **Chiaro! A2** (vedi pagina 201).*

▶ *Il gerundio presente si utilizza per collegare in modo sintetico due frasi principali o una principale e una subordinata. Generalmente le due frasi in questione hanno lo stesso soggetto. Essendo il gerundio invariabile, è il verbo della principale a indicare a chi si riferisce e quale tempo verbale sostituisce.*

▶ *Oltre a indicare azioni che si svolgono in questo stesso istante (in abbinamento con **stare**, vedi **Chiaro! A2**, pagina 201), il gerundio presente può avere anche altre funzioni:*

• *funzione temporale* *L'azione della principale e della subordinata si svolgono contemporaneamente.*	"Non sono sconosciuti totali, Pa" dice Will, **togliendosi** gli auricolari.
• *funzione modale* *Il gerundio esprime il modo in cui si svolge un'azione.*	Chi si offre come "cicerone" si registra sul sito **inserendo** i propri dati.

5.9.2 La posizione dei pronomi

*I pronomi riflessivi, i pronomi oggetto atoni, **ci** e **ne** si uniscono al gerundio:*

"Non sono sconosciuti totali, Pa" dice Will, togliendo**si** gli auricolari.
Rino Zena odiava **la televisione**, ma passava la notte guardando**la**.

5.10   L'uso del condizionale presente

Il condizionale presente si può utilizzare anche per esprimere incertezza:

Quali trattamenti vuole prenotare?
Beh, non **saprei**...

5.11   I verbi transitivi e intransitivi

▶ *In italiano i verbi possono avere un oggetto diretto o indiretto. Gli oggetti indiretti sono preceduti da una preposizione.*

oggetto diretto: Frequento **un corso**.
oggetto indiretto: Mi iscrivo **a** **un corso**.

5.11.1   I verbi transitivi

*In **Chiaro!** figurano diversi verbi transitivi, seguiti cioè da un oggetto diretto, fra i quali:*

aiutare	Aiutiamo **i volontari**.
ascoltare	**Lo** ascolto con attenzione.
ringraziare	Ringrazio **i miei amici**.

5.11.2   I verbi intransitivi

*In **Chiaro!** figurano diversi verbi intransitivi, seguiti cioè da un oggetto indiretto, fra i quali:*

chiedere/domandare a qualcuno	Devo chieder**Le** una cosa. Chiediamo aiuto *ai* **volontari**.
telefonare a qualcuno	Telefono **a un'amica**.

▶ *Altri verbi generalmente utilizzati con una preposizione figurano nel capitolo 7 (**Preposizioni**).*

5.12   Il periodo ipotetico

▶ *Il periodo ipotetico è una frase che esprime cosa succederebbe, sarebbe successo o succederà in determinate circostanze.*

▶ *Si compone di due frasi: nella prima viene espressa un'ipotesi, nella seconda la conseguenza dell'ipotesi stessa.*

▶ *Generalmente l'ipotesi è introdotta dalla congiunzione **se**. L'ipotesi può essere espressa sia prima che dopo la conseguenza:*

Se c'è un bel film, questa sera vado al cinema.
Questa sera vado al cinema, **se** c'è un bel film.

5.12.1   Il periodo ipotetico della realtà

Il periodo ipotetico della realtà esprime un'ipotesi e una conseguenza realizzabili. Ipotesi e conseguenza si riferiscono al presente o al futuro. A seconda del contesto sono possibili diverse combinazioni di tempi e modi verbali:

ipotesi	conseguenza	
• *se* + **presente**	presente	**Se** mi **danno** le ferie, **parto**.
• *se* + **presente**	futuro	**Se** mi **danno** le ferie, **partirò**.
• *se* + **presente**	imperativo	**Se** ti **danno** le ferie, **parti!**
• *se* + **futuro**	futuro	**Se** mi **daranno** le ferie, **partirò**.

5.12.2   Il periodo ipotetico della possibilità

Nel periodo ipotetico della possibilità ipotesi e conseguenza si riferiscono al presente o al futuro. L'ipotesi appare realizzabile, anche se con scarse probabilità.

ipotesi	conseguenza	
• *se* + **congiuntivo imperfetto**	condizionale presente	**Vedrei** volentieri un film, **se** in tv **ci fosse** qualcosa di bello. **Se** tu **prendessi** la tv satellitare, **avresti** più scelta.

5.13   Il passivo

▶ *In italiano esistono frasi attive e frasi passive.*

*La frase **attiva** illustra chi compie l'azione.*	*La frase **passiva** illustra ciò che accade a una persona o a una cosa. L'autore dell'azione può non essere specificato.*
Un anno fa **il Fai ha restaurato** questa villa.	**Questa villa è stata restaurata** un anno fa.

▶ *La costruzione passiva è possibile solo con i verbi transitivi:*

Paolo **spedisce l'e-mail**. ⟶ L'e-mail **è spedita/viene spedita** da Paolo.

Paolo risponde alla lettera. ⟶ – – –

5.13.1   La costruzione passiva con *essere* e *venire*

▶ *Il passivo si forma nel modo seguente:*

***essere* + participio passato**	***venire* + participio passato**
Questa costruzione • *descrive prevalentemente uno stato:* La villa **è restaurata**. • *può essere utilizzata con qualsiasi tempo verbale:* La villa **è/sarà/era/è stata restaurata**.	*Questa costruzione* • *descrive prevalentemente l'azione nel suo svolgimento:* La villa **viene restaurata**. • *non può essere utilizzata nei tempi composti:* La villa **viene/verrà/veniva/verrebbe restaurata**.

▶ *Nelle frasi passive chi compie l'azione (l'agente) è preceduto dalla preposizione* ***da****:*

Nel 2050 la terra sarà abitata **da** 9 miliardi di persone.

▶ *Il participio passato concorda in genere e numero con il soggetto:*

Viene consigliat**o** un **percorso** alternativo.
Una **targa** sarà depost**a** nella stanza adottata.
Si potrà sapere quanti **sacchetti** sono usat**i** da ogni famiglia.
Le tue **iniziali** saranno incis**e** sulla pietra.

5.13.2   La costruzione passiva con *andare*

Il passivo si può formare anche con il verbo ***andare*** *+ participio passato.*

▶ *Questo tipo di costruzione esprime un'idea di necessità:*

Va detto che la vera pizza è solo napoletana.

▶ *La costruzione passiva con* ***andare*** *non è possibile nei tempi composti:*

Le regole **vanno scoperte**.
La bolletta **andava pagata** subito.

▶ *Il participio passato concorda in genere e numero con il soggetto.*

▶ *In generale l'agente non viene menzionato.*

5.14   Il trapassato prossimo

5.14.1   Le forme

▶ *Il trapassato prossimo è un tempo composto che si forma con l'imperfetto dell'ausiliare **essere/avere** + participio passato.*

	avere	participio passato	essere	participio passato
(io)	avevo	lavorato	ero	uscito/uscita
(tu)	avevi	lavorato	eri	uscito/uscita
(lui, lei, Lei)	aveva	lavorato	era	uscito/uscita
(noi)	avevamo	lavorato	eravamo	usciti/uscite
(voi)	avevate	lavorato	eravate	usciti/uscite
(loro)	avevano	lavorato	erano	usciti/uscite

5.14.2   Il trapassato prossimo con i pronomi diretti

▶ *Quando il trapassato prossimo si forma con l'ausiliare **avere**, la desinenza del participio passato resta invariabile (**-o**). Tuttavia se il verbo è preceduto dai pronomi diretti **lo, la, li, le**, il participio passato concorda in genere e numero con il pronome stesso:*

Lui si chiamava Davide, **lo** avevo conosciut**o** in un bar.
La mia amica si chiamava Valentina. L'avevo conosciut**a** sul lavoro.
Portavo questi pantaloni di lino blu, **li** avevo appena tirat**i** giù dall'armadio.
La casa aveva finestre molto grandi, Valentina non **le** aveva notat**e** subito.

▶ *La negazione **non** si trova prima del pronome.*

ⓘ *Solo le forme singolari **lo** e **la** possono avere l'apostrofo (facoltativo):*

l'avevo conosciuto/**lo** avevo conosciuto.

5.14.3   L'uso

*Il trapassato prossimo descrive un evento passato che si svolge **prima** di un altro evento passato.*	Era maggio la prima volta che l'ho visto. Tre mesi fa. Portavo questi pantaloni di lino blu, li **avevo** appena **tirati** giù dall'armadio.

5.15   I tempi composti dei verbi modali

*I tempi composti (per es. il passato e il trapassato prossimo) dei verbi modali **dovere**, **volere**, **potere** e **sapere** si formano come di consueto: ausiliare + participio passato del verbo principale (modale). Va precisato quanto segue:*

• *l'infinito si trova sempre dopo il verbo modale*	**Ho dovuto** *fare* un bonifico.
• *la negazione **non** si trova davanti all'ausiliare*	***Non* ho potuto** consumare tanto gas.
• *in generale con i modali si utilizza l'ausiliare **avere***	**Ho dovuto/voluto/potuto** pagare la bolletta.
• *se dopo il modale figura un verbo (all'infinito) che nei tempi composti prende l'ausiliare **essere**, nel tempo composto del modale stesso l'ausiliare sarà **essere** (ma **avere** è tollerato)*	**Sono dovuta** andare in banca. (Eventualmente: **Ho dovuto** andare in banca).
• *se l'ausiliare è **essere**, il participio passato concorda in genere e numero con il soggetto*	Sono volut**a** venire qui. Non siamo potut**i** uscire con gli amici.
• *quando l'infinito che segue il modale è un verbo riflessivo, nei tempi composti figurerà l'ausiliare **essere** se il pronome riflessivo si trova davanti al modale, o **avere** se il pronome si unisce alla fine dell'infinito.*	**Mi sono voluto** iscrivere al corso. **Ho voluto** iscriver**mi** al corso.

5.16   Il passato remoto

5.16.1   Le forme

Le forme regolari

▶ *Il passato remoto regolare si forma a partire dall'infinito del verbo.*

▶ *I verbi in **-ere** presentano due forme (essenzialmente intercambiabili) alla prima e alla terza persona singolare e alla terza persona plurale. Per i verbi in **-tere** si prediligono tuttavia le prime forme:*

potere ⟶ potei (potetti)   riflettere ⟶ riflettei (riflettetti)

	controllare	vendere	eseguire
(io)	controll**ai**	vend**ei**/vend**etti**	esegu**ii**
(tu)	controll**asti**	vend**esti**	esegu**isti**
(lui, lei, Lei)	controll**ò**	vend**é**/vend**ette**	esegu**ì**
(noi)	controll**ammo**	vend**emmo**	esegu**immo**
(voi)	controll**aste**	vend**este**	esegu**iste**
(loro)	controll**arono**	vend**erono**/vend**ettero**	esegu**irono**

Le forme irregolari

▸ *I verbi irregolari al passato remoto appartengono generalmente alla seconda coniugazione (-**ere**).*

		chiedere
• *Le irregolarità si ritrovano alla prima e alla terza persona singolare e alla terza persona plurale. Per queste forme si modifica la radice verbale.*	(io)	**chiesi**
	(tu)	chiedesti
	(lui, lei, Lei)	**chiese**
• *Le restanti forme sono generalmente regolari. Se si impara la prima e la seconda persona singolare, si conosce pertanto l'intera coniugazione.*	(noi)	chiedemmo
	(voi)	chiedeste
	(loro)	**chiesero**

▸ *Il passato remoto dei verbi **avere** ed **essere** ha le seguenti forme:*

	avere	essere
(io)	ebbi	fui
(tu)	avesti	fosti
(lui, lei, Lei)	ebbe	fu
(noi)	avemmo	fummo
(voi)	aveste	foste
(loro)	ebbero	furono

La tabella in terza di copertina presenta le forme irregolari al passato remoto di verbi di uso frequente.

5.16.2 L'uso

▸ *Il passato remoto è uno dei tempi del passato della lingua italiana. Come il passato prossimo, si utilizza per descrivere azioni che si sono svolte una sola volta o azioni in successione. Si tratta in ogni caso di azioni concluse:*

La pizza Margherita **fu** inventata nell'estate del 1889.

▸ *Non esiste una regola assoluta in base alla quale scegliere se utilizzare il passato prossimo o il passato remoto. In linea di massima si predilige il passato remoto per descrivere azioni o eventi che non hanno più alcuna relazione con il presente; il passato prossimo si usa di solito in riferimento ad azioni o eventi i cui effetti sono ancora tangibili nel presente, o percepiti come tali da chi parla:*

Alessandro Manzoni **nacque** nel 1785.
Io **sono nato** nel 1985.

▸ *Il passato remoto appartiene essenzialmente alla lingua scritta (alla letteratura o alle narrazioni storiche).*

▸ *Nella lingua parlata il passato remoto viene utilizzato soprattutto in alcune regioni del Sud Italia (ma non sistematicamente), nonché in alcune parti dell'Italia centrale (per es. in Toscana).*

▸ *Nell'Italia del Nord il passato remoto si utilizza nella lingua parlata in contesti specifici (a scuola, durante le presentazioni ufficiali, ecc.) e in ambito storico o letterario, nelle biografie di personaggi storici, ecc.*

❗ *A questo livello è sufficiente saper riconoscere le forme del passato remoto, che possono rivelarsi utili per leggere racconti scritti, assistere a lezioni o conferenze e capire persone che provengono da regioni italiane specifiche.*

Non è quindi necessario padroneggiare immediatamente le forme e gli usi di questo tempo verbale. In Italia del resto è possibile, sia nella lingua parlata che in quella scritta, comunicare senza problemi utilizzando solo il passato prossimo.

6 Connettivi

I connettivi sono elementi che consentono di collegare e mettere in relazione diverse parti del testo, dando coesione all'insieme. Fanno parte di questa categoria, fra gli altri, le congiunzioni, i pronomi e gli avverbi.

*Alcune congiunzioni sono già apparse in **Chiaro! A1** e **Chiaro! A2**. Qui di seguito sono presentati i connettivi non trattati nei volumi precedenti.*

Alla fine
Introduce eventi o azioni che sopraggiungono per ultimi, dopo una serie di altri eventi o azioni:

Alla fine ogni gruppo presenta la sua statistica.

Anche se
*Significa **sebbene**, è seguita dall'indicativo ed esprime una concessione:*

Il welfare aziendale si sta diffondendo sempre più, **anche se** riguarda soprattutto i grandi gruppi.

Anzi
*Ha un valore avversativo, esprime un'opposizione rispetto a quanto detto in precedenza ed è sinonimo di **al contrario**:*

Un amico non dovrebbe per forza condividere i miei hobby... **anzi**, più ci sono differenze, più è bello conoscersi.

Cioè
Introduce una chiarificazione, serve a specificare ulteriormente quanto detto in precedenza:

Questa è una "caccia", **cioè** un goal.

Dato che
*È sinonimo di **poiché** e introduce una motivazione:*

Dato che le letterine di plastica si staccavano, i risultati erano in una lingua misteriosa e incompleta.

Eppure
Introduce una frase con valore avversativo e limitativo rispetto a quanto detto in precedenza:

Rino Zena odiava la televisione. **Eppure** non riusciva a non guardarla.

Ad esempio/Per esempio
Introduce un'esemplificazione:

- ... C'è il cinema all'aperto. Non ti ricordi?
- Ah, già! È vero! Devo avere anche il programma, da qualche parte... Che cosa danno?
- Mah, **per esempio** *La solitudine dei numeri primi*, che non è nuovissimo ma io non l'ho ancora visto.

Finalmente
Esprime contentezza e soddisfazione per un evento atteso a lungo.

Finalmente trovi un compaesano che sa dove si mangia una buona pizza.

Infatti
Introduce una frase esplicativa:

Mia nonna mi ha tramandato la passione per il disegno, **infatti** ora frequento l'Istituto d'arte.

Mentre
Si utilizza in combinazione con i verbi e può avere diverse funzioni.
▸ *Si utilizza per indicare che due o più azioni o eventi si svolgono contemporaneamente:*

Io studiavo in cucina **mentre** la nonna lavorava a maglia.
I calciatori, **mentre** giocano, litigano spesso.

▸ *La struttura **mentre** + imperfetto + passato prossimo serve a indicare un'azione che avviene in un momento specifico del passato durante lo svolgimento di un'altra azione non ancora conclusa:*

Mentre aspettavo l'autobus è arrivato Giovanni.

▸ ***Mentre** può inoltre avere valore avversativo:*

La mia nonna materna è morta, **mentre**
la nonna paterna è ancora viva.

Nemmeno/Neppure/Neanche
Questi connettivi servono a congiungere frasi negative o elementi all'interno di una frase negativa:

Nessuno ti insegna quello che è opportuno non dire, ma **nemmeno** le parole "morbide" per affrontare argomenti sensibili.
Non ci sono **neppure** camion che passano a raccogliere i rifiuti porta a porta.
Non so **neanche** questo.

Non solo... ma anche
Serve a mettere in relazione due elementi fornendo ulteriori informazioni su quanto detto in precedenza:

Nanni Moretti **non è solo** regista e interprete, **ma anche** produttore.

Oppure
*È sinonimo della congiunzione **o** e indica due possibilità (che possono escludersi a vicenda o no):*

Il datore di lavoro concede servizi come l'asilo nido **oppure** versa contributi per le spese sanitarie.

Per questo
Serve a introdurre gli effetti di una causa menzionata in precedenza:

Per segnare si può usare ogni mezzo: **per questo** il calcio storico fiorentino ricorda molto il rugby.

Prima
È un avverbio con valore temporale che si può utilizzare in contesti diversi.

▸ **Prima** *può significare* **in precedenza, anteriormente**:

Virgilio, con una bugia, vent'anni **prima** aveva distrutto il gruppo.

▸ **Prima di** + *sostantivo (locuzione con valore temporale)*:

Il regalo si manda agli sposi **prima del giorno delle nozze**.

▸ **Prima... poi** *Indica una successione di eventi*:

Quattro giovani torinesi hanno raccolto i racconti degli anziani, **prima** in Piemonte e **poi** in tutta Italia.

Sia... sia/sia... che
Ha valore coordinativo e significa **così... come, tanto... quanto, non solo... ma anche**:

Un amico dovrebbe conoscere **sia** le mie debolezze **che** i miei punti di forza.

Quindi
Introduce la conseguenza di informazioni fornite in precedenza:

Non sono un tipo facile, **quindi** un amico deve essere comprensivo.

Soprattutto
Serve a dare enfasi ad alcuni elementi del discorso:

Un corso di recitazione non solamente per diventare "attori" ma **soprattutto** per imparare a far "suonare" il nostro corpo e la nostra voce.

7 Preposizioni

Le preposizioni servono a collegare fra loro elementi di una frase. Le preposizioni semplici in italiano sono: **di, a, da, in, con, su, per, tra/fra**.

La funzione e il significato di ogni preposizione possono variare a seconda del contesto.

Segue un quadro sintetico delle preposizioni (e delle loro funzioni) in **Chiaro! B1**.

La preposizione *di*

• *(in combinazione con nomi di località)* complemento di denominazione	L'isola **di** Mozia
• *complemento di specificazione*	cure **di** bellezza partita **di** calcio mal **di** schiena professore **di** psichiatria
• *complemento di specificazione con valore di appartenenza*	sede **di** un museo archeologico le memorie **di** persone comuni

• *complemento di specificazione con valore temporale*	gli anziani **del** Novecento i bambini **di** allora
• *complemento di origine o provenienza*	l'Università **di** Maastricht l'Hotel Parco Smeraldo **di** Ischia
• *complemento di argomento*	Mi raccontava **del** suo passato. Non ama parlare **di** sé.
• *complemento di quantità*	più **di** un milione di visitatori
• *in combinazione con più/meno*	in poco più/meno **di** un mese
• *in combinazione con alcuni aggettivi*	Sono capace **di** cambiare una gomma. Sono appassionato **d'**arte.
• *in combinazione con alcuni sostantivi*	Chi troverebbe il tempo e la voglia **di** farlo? Il viaggiatore è in grado **di** scegliere. la tutela **del** paesaggio
• *in combinazione con alcuni verbi*	Si tratta **di** un corso pratico. La Caritas si occupa **dei** poveri. Spero **di** poter lavorare un po' meno.

La preposizione *a*

• *complemento di modo*	Viaggio **a** piedi con lo zaino. **a** voce alta/bassa **a** tranci/a fette
• *complemento di stato in luogo/moto a luogo*	**a** scuola **a** una festa **al** lavoro un patrimonio unico **al** mondo **a** nord/sud/est/ovest
• *complemento di mezzo*	La casa è riscaldata a gasolio/ a metano.
• *in combinazione con alcuni aggettivi*	Sono bravo **a** costruire modellini. un abitante disposto **a** portarci in giro
• *in combinazione con alcuni verbi*	Mi iscrivo **a** un corso di ballo. Non riesco **a** chiudere la finestra. Ho imparato **a** ballare. Aiuto i volontari **a** curare gli animali. I volontari offrono assistenza **agli** anziani.

La preposizione *da*

• *complemento di fine*	bicicletta **da** donna/uomo
• *complemento di scopo*	bicicletta **da** corsa costume **da** bagno tavolo **da** disegno
• *complemento di luogo*	**da** una parte... **dall'**altra parte
• *complemento di origine o provenienza*	La mozzarella arriva **da** Battipaglia.
• *complemento di agente*	La terra sarà abitata **da** 9 miliardi di persone.
• *complemento di distanza*	a qualche chilometro **da** qui

La preposizione *in*

• *complemento di modo*	Viaggio **in** treno/in aereo/in macchina/in camper/ in bicicletta. televisione **in** bianco e nero
• *complemento di tempo*	**negli** anni venti **nel** Novecento
• *complemento di stato in luogo/moto a luogo*	**in** una stazione **in** campagna **in** vacanza **in** rete **nel** mondo intero
• *in combinazione con alcuni aggettivi*	Sono bravo **in** italiano.

La preposizione *con*

• *complemento di compagnia*	le persone **con** cui frequento il corso
• *complemento di modo*	**con** un semplice clic
• *complemento di mezzo* *(riferito a mezzi di trasporto)*	Preferisco viaggiare **con** la mia bicicletta.
• *complemento di mezzo o strumento*	La casa è riscaldata **con** la stufa/con i pannelli solari.

La preposizione *su*

• *complemento di stato in luogo*	**su** una pista ciclabile **sulla** costa **su** Internet **sullo** schermo
• *complemento di argomento*	un film **sull'**Italia di oggi
• *in combinazione con alcuni verbi*	**su** tutte spiccano le interpretazioni di Servillo e Gifuni

La preposizione *per*

• *complemento di causa*	Frequento il corso **per** interesse.
• *complemento di vantaggio e svantaggio*	un corso **per** principianti
• *complemento di scopo*	un corso **per** diventare attori contributi **per** le spese sanitarie
• *complemento di moto per luogo*	girare **per** la città
• *in combinazione con alcuni sostantivi*	Non ho pazienza **per** i lavori manuali.
• *in combinazione con alcuni aggettivi*	Sono portato **per** il disegno. Sono negato **per** la matematica.
• *in combinazione con alcuni verbi*	La ringraziamo **per** la Sua donazione.

Le preposizioni *fra* e *tra*

• *complemento partitivo*	Ogni partita si disputa **tra** due squadre

La preposizione *durante*

Durante *è una preposizione impropria. Ha lo stesso significato di* **mentre**, *ma si utilizza in combinazione con un sostantivo.*	L'arbitro sta fuori campo **durante il gioco.**

8 Numeri, date e quantità

8.1 I numeri romani

*I numeri romani sono tutt'ora in uso nella lingua italiana, per esempio per indicare i secoli (vedi punto **8.2**) e nei nomi dei pontefici e dei monarchi:*

Benedetto **XVI** = Benedetto sedicesimo
Elisabetta **II**   = Elisabetta seconda

I	1/1° (uno/primo)	XI	11/11° (undici/undicesimo)
II	2/2° (due/secondo)	XII	12/12° (dodici/dodicesimo)
III	3/3° (tre/terzo)	XIII	13/13° (tredici/tredicesimo)
IV	4/4° (quattro/quarto)	XIV	14/14° (quattordici/quattordicesimo)
V	5/5° (cinque/quinto)	XV	15/15° (quindici/quindicesimo)
VI	6/6° (sei/sesto)	XVI	16/16° (sedici/sedicesimo)
VII	7/7° (sette/settimo)	XVII	17/17° (diciassette/diciassettesimo)
VIII	8/8 (otto/ottavo)	XVIII	18/18° (diciotto/diciottesimo)
IX	9/9° (nove/nono)	XIX	19/19° (diciannove/diciannovesimo)
X	10/10° (dieci/decimo)	XX	20/20° (venti/ventesimo)

Ormai i numeri romani si usano prevalentemente come sostituti dei numeri ordinali.

Nelle città italiane numerose strade portano un nome che commemora eventi storici: in tal caso si adopera un numero romano per indicare il giorno in cui ebbe luogo l'evento stesso in sostituzione di un numero cardinale:

Viale **XX** settembre   =   Viale venti settembre

8.2 La data (decenni e secoli)

8.2.1 I decenni

▸ *Per indicare un decennio specifico si usa come riferimento la decina corrispondente:*

gli anni venti = 1920-1929
gli anni quaranta = 1940-1949
gli anni sessanta = 1960-1969
gli anni ottanta = 1980-1989

gli anni trenta = 1930-1039
gli anni cinquanta = 1950-1959
gli anni settanta = 1970-1979
gli anni novanta = 1990-1999

▸ *Con i decenni si utilizza la preposizione **in** seguita dall'articolo:*

Negli anni sessanta.

8.2.2 I secoli

I secoli vengono indicati mediante i numeri ordinali, che nei testi scritti sono generalmente trascritti con i numeri romani.

▸ *A seconda dei casi può figurare la dicitura **a.C.** (avanti Cristo) o **d.C.** (dopo Cristo):*

899-800 **a.C.** = il **IX** (nono) secolo avanti Cristo
600-699 **d.C.** = il **VII** (settimo) secolo dopo Cristo

▶ *Dal XIII secolo in poi è regola comune indicare le epoche storiche con un numero scritto in lettere. Nota bene: in questo caso si omette la parola* **mille** *e si inizia direttamente con le centinaia (in maiuscolo):*

il XV secolo = il millequattrocento = il **Quattrocento**

il Duecento = 1200-1299	il Trecento = 1300-1399	il Quattrocento = 1400-1499
il Cinquecento = 1500-1599	il Seicento = 1600-1699	il Settecento = 1700-1799
l'Ottocento = 1800-1899	il Novecento = 1900-1999	

▶ *Anche con i secoli si utilizza la le preposizione* **in**:

nel Novecento/**nel** XX secolo

8.3   Espressioni di tempo e frequenza

Ecco una lista delle espressioni di tempo ricorrenti in **Chiaro! B1**:

a mezz'ora da qui
adesso
all'inizio
alla fine
allora
appena
a un certo punto
da
da quel momento
dopo
durante (+ sostantivo)
già
mentre (+ verbo)
ogni tanto
ogni volta che
ora
ormai
quando (+ presente)
quando (+ passato prossimo/passato remoto)
quando (+ imperfetto)
poi
prima/prima di
regolarmente
un paio di giorni

Griglia di comparazione tra le competenze previste dal livello B1 dal Quadro Comune Europeo di riferimento per le lingue e i contenuti di *Chiaro! B1*

	Descrizione delle competenze acquisite	Attività in *Chiaro! B1* (numero della pagina)
produzione orale	Sono in grado di riferire esperienze di vita quotidiana e di descrivere le mie abitudini, preferenze e capacità e i miei stili di apprendimento, evidenziandone se necessario gli aspetti positivi e quelli negativi.	*10, 11, 35, 41, 44, 46, 55, 68, 71, 93, 95, 98, 118, 119, 120*
produzione orale	Sono in grado di esprimere desideri e speranze, indicare obiettivi e formulare ipotesi su situazioni e personaggi.	*9, 11, 12, 13, 23, 29, 30, 33, 40, 57, 67, 72, 77, 80, 94, 105, 107, 111, 115*
produzione orale	Sono in grado di descrivere e paragonare esperienze, avvenimenti, persone, ricordi, sogni e speranze.	*19, 31, 32, 42, 72, 98, 109*
produzione orale	Sono in grado di esprimere brevemente la mia opinione su temi relativi alla vita quotidiana e di motivarla.	*17, 35, 39, 46, 47, 69, 73, 80, 95*
produzione orale	Sono in grado di descrivere in modo semplice, ma chiaro e articolato, oggetti di uso comune, luoghi fisici, proposte e progetti.	*19, 21, 22, 23, 62, 63, 79, 85, 97, 111*
produzione orale	Sono in grado di riassumere informazioni raccolte leggendo un testo o ascoltando una registrazione e di riferire ad altri il risultato di inchieste e interviste su argomenti quotidiani.	*11, 13, 46, 62, 63, 70, 73, 78, 85, 100, 107, 109, 116*
produzione scritta	Sono in grado di scrivere una breve presentazione e di descrivere una persona o un progetto.	*13, 25, 32, 63, 70, 73, 79, 85, 97, 101, 111, 121*
produzione scritta	Sono in grado di scrivere slogan o brevi testi persuasivi su argomenti legati alla vita quotidiana.	*47, 83, 121*
produzione scritta	Sono in grado di inventare brevi storie o sceneggiature su situazioni e personaggi fittizi.	*35, 101*
produzione scritta	Sono in grado di descrivere i miei punti forti e i miei punti deboli.	*13, 25*
comprensione orale (ascolto)	Sono in grado di capire conversazioni o interviste su esperienze, progetti e argomenti relativi alla vita di tutti i giorni o al lavoro, riconoscendone sia il significato generale, sia le informazioni specifiche, purché le persone parlino in modo chiaro e in lingua standard.	*9, 10, 12, 13, 18, 19, 30, 31, 40, 57, 58, 70, 71, 81, 106*
comprensione orale (ascolto)	Sono in grado di capire conversazioni o interviste nelle quali gli interlocutori espongono opinioni proprie o di altri, esprimendo accordo o disaccordo, su argomenti relativi alla vita quotidiana.	*33, 34, 43, 44, 96, 109*
comprensione orale (ascolto)	Sono in grado di capire trasmissioni radiofoniche su argomenti di attualità o temi di mio interesse personale o professionale, se il discorso è relativamente lento e chiaro.	*68, 106, 107, 116*
comprensione scritta (lettura)	Sono in grado di capire testi ad ampia diffusione legati alla vita quotidiana o al lavoro (annunci, moduli, questionari, itinerari di viaggi, manifesti, regolamenti, ecc.).	*11, 12, 13, 20, 47, 60, 68, 69, 80, 88*
comprensione scritta (lettura)	Sono in grado di capire brevi testi di narrativa o saggistica contemporanea, purché scritti in modo relativamente semplice.	*44, 45, 99, 108, 117*
comprensione scritta (lettura)	Sono in grado di capire brevi messaggi personali, formali o informali, qualsiasi sia il loro supporto (lettere, biglietti, sms, e-mail).	*14, 69*
comprensione scritta (lettura)	Sono in grado di capire articoli di stampa e testi estratti dalla rete di media lunghezza, purché di argomento comune.	*24, 30, 31, 41, 56, 62, 64, 72, 78, 79, 83, 84, 94, 95, 102*
interazione orale	Sono in grado di intervistare altre persone su argomenti legati alla vita corrente e su progetti futuri, e di rispondere a interviste analoghe.	*11, 32, 63, 70, 73, 98, 116*
interazione orale	Sono in grado di partecipare (senza essermi preparato) a conversazioni su argomenti di interesse personale o riguardanti la vita quotidiana, motivando le opinioni e le scelte mie e altrui ed esponendo cause, vantaggi e svantaggi di fenomeni diffusi.	*38, 44, 55, 69, 79, 80, 83, 85, 96, 107, 111, 121*
interazione orale	Sono in grado di chiedere e dare consigli, informazioni, istruzioni e raccomandazioni che riguardano situazioni quotidiane.	*12, 16, 25, 58, 60, 80, 82, 118, 121*
interazione orale	Sono in grado di immaginare e produrre un dialogo tra personaggi reali o fittizi.	*35, 101*
interazione orale	Sono in grado di partecipare a una conversazione telefonica, utilizzando formule ed espressioni appropriate per chiedere informazioni, presentarmi e congedarmi.	*96, 97*
interazione orale	Sono in grado, in situazioni correnti, di formulare reclami, esprimere sorpresa, collera o disaccordo, e di calmare una persona.	*18, 19*

Indice delle fonti

Foto

Foto di copertina: Alta Badia - Dolomiti © Carlo Guastalla | **Pagina 8:** *tutte* © MHV/Katharina Huber | **Pagina 9:** © fotolia/Monkey Business | **Pagina 12:** *opuscolo* © Università della Terza Età Gorizia | **Pagina 14:** © VISUM/SINTESI | **Pagina 17:** © F1online/Westend61 | **Pagina 19:** 1 © Thinkstock/Stockbyte; 2 © fotolia/soleg; 3, 4 © Thinkstock/iStockphoto; 5 © iStockphoto/Nikada; 6 © fotolia/francois clappe; 7 © fotolia/Sahara Nature; 8 © iStockphoto/Yuriy Chaban | **Pagina 20:** © Digital Wisdom | **Pagina 23:** © Ediciclo Editore Srl | **Pagina 25:** *logo* © www.angelsfortravellers.com; Foto © LOOK-foto | **Pagina 29:** © Getty Images/Sophia Vourdoukis | **Pagina 30:** *copertina* © Giulio Einaudi editore S.p.A | **Pagina 33:** Giorgio © iStockphoto/Eduardo Jose Bernardino; Enzo © iStockphoto/Jacob Wackerhausen; Claudia © iStockphoto/Derek Latta; Dino © fotolia/Galina Barskaya; Patrizia © iStockphoto/Juanmonino; Lucia © Clipdealer/Darren Baker; Cristina © fotolia/andreaxt; Carlo © iStockphoto/rgbspace; Lina © iStockphoto/Aldo Murillo | **Pagina 35:** © fotolia/ChantalS | **Pagina 36:** *da sinistra* © Thinkstock/iStockphoto; © PantherMedia/Timur Arbaev; © fotolia/al62; © fotolia/Marzia Giacobbe; © fotolia/Antonio Gravante; © iStockphoto/ Marco Scisetti | **Pagina 39:** © LOOK-foto/Jan Greune | **Pagina 41:** Mirna © PantherMedia/JCB Prod; Lucia © fotolia/BestPhotoStudio; Massimo © Thinkstock/iStockphoto; Giorgio © iStockphoto/Juanmonino | **Pagina 47:** *a sinistra* © iStockphoto/Neustockimages; *a destra* © iStockphoto/muharrem öner | **Pagina 50:** © Thinkstock/Getty Images/Jupiterimages | **Pagina 51:** *a sinistra* © iStockphoto/ LordRunar; *a destra* © fotolia/ArTo | **Pagina 55:** © Hotel Parco Smeraldo Terme, Ischia | **Pagina 60:** *tutte* © Hotel Parco Smeraldo Terme, Ischia | **Pagina 61:** 1 © PantherMedia/diego cervo; 2 © fotolia/shoot4u; 3 © iStockphoto/mediaphotos; 4, 6 © PantherMedia/Benis Arapovic; 5 © iStockphoto/kristian sekulic; 7 © iStockphoto/ Daniel BOITEAU; 8 © iStockphoto/tunart; 9 © Thinkstock/iStockphoto; 10 © iStockphoto/gary milner; 11 © iStockphoto/Spanishalex; 12 © fotolia/Alexander Rochau; 13 © fotolia/Durluby; 14 © Thinkstock/Hemera | **Pagina 62:** © action press/SPG | **Pagina 63:** *a sinistra* © action press/EXCLUSIVE PIX; *al centro* © ddp images/dapd; *a destra* © imago/City-Press | **Pagina 64:** *loghi squadre di calcio: in alto a sinistra* © Milan Entertainment S.r.l; *in alto a destra:* © ACF Fiorentina; *in basso a sinistra:* © Juventus Football Club S.p.A; *in basso a destra* © Inter Brand Srl; Totoschein © MHV/Katharina Huber; *schedine e immagini sotto* © Gazzetta dello Sport; Torschuss © Cinetext/ Allstar | **Pagina 67:** © fotolia/Patrick Hermans | **Pagina 68:** loghi © www.lavoro.gov.it; 1 © Caritas Italiana; 2 © LIPU Onlus – BirdLife Italia; 3 © Medici Senza Frontiere; 4 © Telefono Azzurro | **Pagina 69:** *in alto:* ENPA Ente Nazionale Protezione Animali; 1, 5, 7, 8, 9 © Thinkstock/iStockphoto; 2 © PantherMedia/Tom Gowanlock; 3 © iStockphoto/Ljupco; 4 © fotolia/lightpoet; 6 © fotolia/Roger Scott; 10 © fotolia/jeancliclac | **Pagina 71:** MHV | **Pagina 73:** © VISUM/SINTESI | **Pagina 77:** © Thinkstock/ iStockphoto | **Pagina 78:** *logo* © FAI Fondo Ambiente Italiano | **Pagina 83:** *manifesto a sinistra* © Legambiente; *manifesto a destra* © Ecolamp | **Pagina 86:** Alpi Marittime © Thinkstock/Zoonar; Parco del Mincio © mauritius/ CuboImages; Dolomiti Friulane © Bildagentur Huber/Fantuz Olimpio; Pelagie © Thinkstock/Hemera; Miramare, Maremma, Etna © Thinkstock/iStockphoto; Italienkarte © Digital Wisdom | **Pagina 89:** *a sinistra* © iStockphoto/BiancoStar; *a destra* © iStockphoto/Dragan Grkic | **Pagina 93:** © ddp images/AP | **Pagina 94:** a © Sacher Distribuzione Srl; b, c © Medusa Film S.p.a | **Pagina 99:** *copertina* © Giulio Einaudi editore S.p.A.; *foto di copertina:* © plainpicture/Millennium | **Pagina 101:** © laif/ChinaFotoPress | **Pagina 102:** 1 © ddp images; 2 © mauritius images/Alamy | **Pagina 105:** © Getty Images/Time Life Pictures/Carl Iwasaki | **Pagina 107:** *a sinistra* © dpa Picture-Alliance/FOTOSTORE; *a destra* © INTERFOTO/Tci/Marka | **Pagina 111:** © action press/OLYCOM S.P.A | **Pagina 112:** © La Settimana Enigmistica, Italia | **Pagina 115:** © ALMA Edizioni Firenze | **Pagina 116:** © ddp images | **Pagina 117:** © Thinkstock/iStockphoto | **Pagina 118:** Udine © Giulia de Savorgnani; *biblioteca* © Thinkstock/iStockphoto | **Pagina 119:** © iStockphoto/Simone Angelo Ferri | **Pagina 121:** © Thinkstock/iStockphoto | **Pagina 122:** © Giulia de Savorgnani | **Pagina 125:** *in alto* © ddp images/AP; *in basso* © laif/Massimiliano Clausi | **Pagina 129:** *da sinistra* © fotolia/Richard Villalon; © fotolia/tavi; © iStockphoto/ maureenpr; © fotolia/PavelSh | **Pagina 132:** © iStockphoto/Sasa Radovic | **Pagina 133:** © PantherMedia/Vitaly Mahsimchuck | **Pagina 134:** *olio* © PantherMedia/Manav Lohia; *camicetta* © iStockphoto/Ivan Gulei; Küche © iStockphoto/M. Eric Honeycutt | **Pagina 138:** © iStockphoto/Alberto Simonetti | **Pagina 139:** 1 © PantherMedia/ Rene Müller; 2 © fotolia/Edith60; 3 © PantherMedia/Claudio Giovanni Colombo | **Pagina 141:** © Cinzia Cordera Alberti | **Pagina 143:** © Cinzia Cordera Alberti | **Pagina 145:** © fotolia/picturia | **Pagina 150:** © Getty Images/Punchstock | **Pagina 151:** Edoardo © iStockphoto/PhotoInc; Emanuela © iStockphoto/Juanmonino; Roberta © iStockphoto/Kevin Russ; Tiziana © PantherMedia/pier paolo gentili; Pietro © iStockphoto/Nicolas McComber; Fanny © fotolia/Leah-Anne Thompson | **Pagina 155:** © PantherMedia/nyul | **Pagina 158:** © Thinkstock/iStockphoto | **Pagina 162:** *tutte* © Thinkstock/iStockphoto | **Pagina 164:** © Cinzia Cordera Alberti | **Pagina 166:** © Cinzia Cordera Alberti | **Pagina 167:** © Cinzia Cordera Alberti | **Pagina 168:** *in alto* © Shotshop.com/Monkey Business; *in basso a sinistra* © VISUM/SINTESI/Silvio Mencarelli; *in basso a destra* © iStockphoto/Steve Cole | **Pagina 170:** *mongolfiere* © Thinkstock/iStockphoto; Castello di Masino © laif/contrasto | **Pagina 174:** *tutte* © Thinkstock/iStockphoto | **Pagina 177:** *manifesto a sinistra* © Fandango Srl; Mitte © Filmauro S.r.l; *manifesto a destra* © Medusa Film S.p.a | **Pagina 178:** © mauritius images/United Archives | **Pagina 182:** © ddp images/AP | **Pagina 183:** © ddp images/AP | **Pagina 184:** Pomì © Consorzio Casasco del Pomodoro Soc. Agr. Coop.; Lavazza © LUIGI LAVAZZA S.p.A. | **Pagina 185:** © Cinzia Cordera Alberti | **Pagina 187:** © Thinkstock/Monkey Business | **Pagina 189:** *bucatini* © Thinkstock/iStockphoto; *risotto* © fotolia/Giuseppe Porzani | **Pagina 190:** © Thinkstock/iStockphoto | **Pagina 193:** Cinzia Cordera Alberti.

Testi

Pagina 20: *adattato da:* www.solebike.it/ita/ciclogiri/sicilia_occidentale.html © Sole & Bike Associazione Cicloturistica | **Pagina 24:** Sara Ficocelli, "La guida è un "angelo" piovuto dal web", www.viaggi.repubblica.it/articolo/la-guida-un-angelo-piovuto-dal-web/221832 © Repubblica.it | **Pagina 30:** Io mi ricordo. A cura di Banca della Memoria © Giulio Einaudi editore S.p.A | **Pagina 30/31:** *estratto da* "Il rapporto con i genitori" © www.memoro.org | **Pagina 31:** 1 Anna Ponti, "Rossini Maria"; 2 Adriana Conato, "La Scala Carla", *entrambi i testi da:* © www.memoro.org | **Pagina 44/45:** Andrea De Carlo, "Leielui", 2010, Pagina 142–143 © Bompiani | **Pagina 48:** *adattato da:* Ouejdane Mejri, "Musulmani e cattolici alla fiera dei tabù", www.yallaitalia.it/wp-content/uploads/archivio_2010/10.pdf © Vita Società editoriale SpA | **Pagina 56:** *adattato da:* "Un weekend alle terme ti rigenera più delle Maldive", OK, 4.4.2010, Pagina 112, 114, 116 © Ok salute e benessere | **Pagina 64:** Stefano Benni, "Pane e Tempesta", Prima edizione ne "I Narratori", Oktober 2009 © Giangiacomo Feltrinelli Editore Milano | **Pagina 68:** manifesto della campagna "Aiuta l'Italia che aiuta" © www.lavoro.gov.it | **Pagina 69:** *Testo punto 3 a* © ENPA Ente Nazionale Protezione Animali | **Pagina 72:** *adattato da:* Luca Pagni, "Figli al lavoro se il padre si ammala così nasce il welfare fatto in casa", www.repubblica.it/economia/2011/10/18/news/welfare_fatto_in_casa-23405464/?ref=HREC1-12 © Repubblica.it | **Pagina 78:** *testo punto 1 b:* www.fondoambiente.it/chi-siamo.asp © FAI Fondo ambiente italiano | **Pagina 78/79:** *testo punto 2 a:* www.failatuaparte.it © FAI Fondo ambiente Italiano **Pagina 83/84:** Carlo Dagradi, "Più pulita e stimolante", in: Focus n. 230, Dicembre 2011, Pagina 32–38 | **Pagina 88:** *regolamento* © www.antichipassi.com | **Pagina 99:** Elena Stancanelli, "Un uomo giusto", Torino 2011, Pagina 3–4, 7 © Giulio Einaudi editore S.p.A | **Pagina 108:** Niccolò Ammaniti, "Come Dio comanda", 2006, Pagina 109–110 © Mondadori Editore **Pagina 112:** *tutte le barzellette* © www.barzellette.dada.net | **Pagina 116:** *estratto da* "L'Italia unita a scuola" dal programma radiofonico "Fahrenheit" (RAI Radio 3) vom 16.03.2011 © RAI S.p.A. | **Pagina 117:** Alessandro Siani, "Non si direbbe che sei napoletano", 2011, Pagina 17–18 © Mondadori Editore | **Pagina 124:** *definizioni:* T. De Mauro/ G.G. Moroni, DIB – Dizionario di base della lingua Italiana, II ed. © Pearson Italia | **Pagina 130:** *listino* © Hotel Parco Smeraldo Terme, Ischia.

Contenuto dei CD

CD audio *(registrazioni del libro dello studente):* 66 minuti | **CD ROM** *(registrazioni dell'eserciziario):* 30 minuti. Il CD ROM contiene inoltre le registrazioni dell'eserciziario in formato mp3, le trascrizioni delle registrazioni e le soluzioni dell'eserciziario, il glossario alfabetico e per lezioni e le pagine del portfolio in formato pdf. © 2012 Alma Edizioni - Firenze | Tutti i diritti riservati. | **Voci:** Giovanni Ciani, Francesca Cordera, Cristiana Cornelio, Isabella Ernst, Franco Mattoni, Marco Montemarano, Danila Piotti, Anna Colella, Cinzia Cordera Alberti, Michele D'Errico, Giulia de Savorgnani, Giovanna Rizzo | **Registrazione e produzione:** Tonstudio Langer, 85737 Ismaning, Germania.

Tabella verbi

I verbi regolari

-are: parlare

presente indicativo	imperfetto	futuro semplice	condizionale presente	congiuntivo presente	congiuntivo imperfetto	passato remoto	
parlo	parlavo	parlerò	parlerei	parli	parlassi	parlai	**passato prossimo**
parli	parlavi	parlerai	parleresti	parli	parlassi	parlasti	ho parlato
parla	parlava	parlerà	parlerebbe	parli	parlasse	parlò	**trapassato**
parliamo	parlavamo	parleremo	parleremmo	parliamo	parlassimo	parlammo	avevo parlato
parlate	parlavate	parlerete	parlereste	parliate	parlaste	parlaste	**gerundio**
parlano	parlavano	parleranno	parlerebbero	parlino	parlassero	parlarono	parlando

-ere: vendere

presente indicativo	imperfetto	futuro semplice	condizionale presente	congiuntivo presente	congiuntivo imperfetto	passato remoto	
vendo	vendevo	venderò	venderei	venda	vendessi	vendei/vendetti	**passato prossimo**
vendi	vendevi	venderai	venderesti	venda	vendessi	vendesti	ho venduto
vende	vendeva	venderà	venderebbe	venda	vendesse	vendé/vendette	**trapassato**
vendiamo	vendevamo	venderemo	venderemmo	vendiamo	vendessimo	vendemmo	avevo venduto
vendete	vendevate	venderete	vendereste	vendiate	vendeste	vendeste	**gerundio**
vendono	vendevano	venderanno	venderebbero	vendano	vendessero	venderono/ vendettero	vendendo

-ire: sentire

presente indicativo	imperfetto	futuro semplice	condizionale presente	congiuntivo presente	congiuntivo imperfetto	passato remoto	
sento	sentivo	sentirò	sentirei	senta	sentissi	sentii	**passato prossimo**
senti	sentivi	sentirai	sentiresti	senta	sentissi	sentisti	ho sentito
sente	sentiva	sentirà	sentirebbe	senta	sentisse	sentì	**trapassato**
sentiamo	sentivamo	sentiremo	sentiremmo	sentiamo	sentissimo	sentimmo	avevo sentito
sentite	sentivate	sentirete	sentireste	sentiate	sentiste	sentiste	**gerundio**
sentono	sentivano	sentiranno	sentirebbero	sentano	sentissero	sentirono	sentendo

-ire: finire

presente indicativo	imperfetto	futuro semplice	condizionale presente	congiuntivo presente	congiuntivo imperfetto	passato remoto	
finisco	finivo	finirò	finirei	finisca	finissi	finii	**passato prossimo**
finisci	finivi	finirai	finiresti	finisca	finissi	finisti	ho/è finito/a
finisce	finiva	finirà	finirebbe	finisca	finisse	finì	**trapassato**
finiamo	finivamo	finiremo	finiremmo	finiamo	finissimo	finimmo	avevo/era finito/a
finite	finivate	finirete	finireste	finiate	finiste	finiste	**gerundio**
finiscono	finivano	finiranno	finirebbero	finiscano	finissero	finirono	finendo

I verbi ausiliari *avere* e *essere*

avere

ho	avevo	avrò	avrei	abbia	avessi	ebbi	**passato prossimo**
hai	avevi	avrai	avresti	abbia	avessi	avesti	ho avuto
ha	aveva	avrà	avrebbe	abbia	avesse	ebbe	**trapassato**
abbiamo	avevamo	avremo	avremmo	abbiamo	avessimo	avemmo	avevo avuto
avete	avevate	avrete	avreste	abbiate	aveste	aveste	**gerundio**
hanno	avevano	avranno	avrebbero	abbiano	avessero	ebbero	avendo

essere

sono	ero	sarò	sarei	sia	fossi	fui	**passato prossimo**
sei	eri	sarai	saresti	sia	fossi	fosti	sono stato/a
è	era	sarà	sarebbe	sia	fosse	fu	**trapassato**
siamo	eravamo	saremo	saremmo	siamo	fossimo	fummo	ero stato/a
siete	eravate	sarete	sareste	siate	foste	foste	**gerundio**
sono	erano	saranno	sarebbero	siano	fossero	furono	essendo

Verbi irregolari che compaiono in *Chiaro! B1*

andare

...do	andavo	andrò	andrei	**vada**	andassi	andai	**passato prossimo**
	andavi	andrai	andresti	**vada**	andassi	andasti	sono andato/a
	andava	andrà	andrebbe	**vada**	andasse	andò	**trapassato**
	andavamo	andremo	andremmo	andiamo	andassimo	andammo	ero andato/a
	andavate	andrete	andreste	andiate	andaste	andaste	**gerundio**
	...ndavano	andranno	andrebbero	**vadano**	andassero	andarono	andando

...vo	berrò	berrei	beva	bevessi	bevvi	**passato prossimo**
...i	berrai	berresti	beva	bevessi	bevesti	ho bevuto
	berrà	berrebbe	beva	bevesse	bevve	**trapassato**
...mo	berremo	berremmo	beviamo	bevessimo	bevemmo	avevo bevuto
	berrete	berreste	beviate	beveste	beveste	**gerundio**
...no	berranno	berrebbero	bevano	bevessero	bevvero	bevendo

Tabella verbi

chiedere

presente indicativo	imperfetto	futuro semplice	condizionale presente	congiuntivo presente	congiuntivo imperfetto	passato remoto	
chiedo	chiedevo	chiederò	chiederei	chieda	chiedessi	chiesi	**passato prossimo**
chiedi	chiedevi	chiederai	chiederesti	chieda	chiedessi	chiedesti	ho chiesto
chiede	chiedeva	chiederà	chiederebbe	chieda	chiedesse	chiese	**trapassato**
chiediamo	chiedevamo	chiederemo	chiederemmo	chiediamo	chiedessimo	chiedemmo	avevo chiesto
chiedete	chiedevate	chiederete	chiedereste	chiediate	chiedeste	chiedeste	**gerundio**
chiedono	chiedevano	chiederanno	chiederebbero	chiedano	chiedessero	chiesero	chiedendo

dire

presente indicativo	imperfetto	futuro semplice	condizionale presente	congiuntivo presente	congiuntivo imperfetto	passato remoto	
dico	dicevo	dirò	direi	dica	dicessi	dissi	**passato prossimo**
dici	dicevi	dirai	diresti	dica	dicessi	dicesti	ho detto
dice	diceva	dirà	direbbe	dica	dicesse	disse	**trapassato**
diciamo	dicevamo	diremo	diremmo	diciamo	dicessimo	dicemmo	avevo detto
dite	dicevate	direte	direste	diciate	diceste	diceste	**gerundio**
dicono	dicevano	diranno	direbbero	dicano	dicessero	dissero	dicendo

dovere

presente indicativo	imperfetto	futuro semplice	condizionale presente	congiuntivo presente	congiuntivo imperfetto	passato remoto	
devo	dovevo	dovrò	dovrei	debba	dovessi	dovei/dovetti	**passato prossimo**
devi	dovevi	dovrai	dovresti	debba	dovessi	dovesti	ho dovuto
deve	doveva	dovrà	dovrebbe	debba	dovesse	dové/dovette	**trapassato**
dobbiamo	dovevamo	dovremo	dovremmo	dobbiamo	dovessimo	dovemmo	avevo dovuto
dovete	dovevate	dovrete	dovreste	dobbiate	doveste	doveste	**gerundio**
devono	dovevano	dovranno	dovrebbero	debbano	dovessero	doverono/dovettero	dovendo

fare

presente indicativo	imperfetto	futuro semplice	condizionale presente	congiuntivo presente	congiuntivo imperfetto	passato remoto	
faccio	facevo	farò	farei	faccia	facessi	feci	**passato prossimo**
fai	facevi	farai	faresti	faccia	facessi	facesti	ho fatto
fa	faceva	farà	farebbe	faccia	facesse	fece	**trapassato**
facciamo	facevamo	faremo	faremmo	facciamo	facessimo	facemmo	avevo fatto
fate	facevate	farete	fareste	facciate	faceste	faceste	**gerundio**
fanno	facevano	faranno	farebbero	facciano	facessero	fecero	facendo

potere

presente indicativo	imperfetto	futuro semplice	condizionale presente	congiuntivo presente	congiuntivo imperfetto	passato remoto	
posso	potevo	potrò	potrei	possa	potessi	potei	**passato prossimo**
puoi	potevi	potrai	potresti	possa	potessi	potesti	ho potuto
può	poteva	potrà	potrebbe	possa	potesse	poté	**trapassato**
possiamo	potevamo	potremo	potremmo	possiamo	potessimo	potemmo	avevo potuto
potete	potevate	potrete	potreste	possiate	poteste	poteste	**gerundio**
possono	potevano	potranno	potrebbero	possano	potessero	poterono	potendo

sapere

presente indicativo	imperfetto	futuro semplice	condizionale presente	congiuntivo presente	congiuntivo imperfetto	passato remoto	
so	sapevo	saprò	saprei	sappia	sapessi	seppi	**passato prossimo**
sai	sapevi	saprai	sapresti	sappia	sapessi	sapesti	ho saputo
sa	sapeva	saprà	saprebbe	sappia	sapesse	seppe	**trapassato**
sappiamo	sapevamo	sapremo	sapremmo	sappiamo	sapessimo	sapemmo	avevo saputo
sapete	sapevate	saprete	sapreste	sappiate	sapeste	sapeste	**gerundio**
sanno	sapevano	sapranno	saprebbero	sappiano	sapessero	seppero	sapendo

volere

presente indicativo	imperfetto	futuro semplice	condizionale presente	congiuntivo presente	congiuntivo imperfetto	passato remoto	
voglio	volevo	vorrò	vorrei	voglia	volessi	volli	**passato prossimo**
vuoi	volevi	vorrai	vorresti	voglia	volessi	volesti	ho voluto
vuole	voleva	vorrà	vorrebbe	voglia	volesse	volle	**trapassato**
vogliamo	volevamo	vorremo	vorremmo	vogliamo	volessimo	volemmo	avevo voluto
volete	volevate	vorrete	vorreste	vogliate	voleste	voleste	**gerundio**
vogliono	volevano	vorranno	vorrebbero	vogliano	volessero	vollero	volendo

venire

presente indicativo	imperfetto	futuro semplice	condizionale presente	congiuntivo presente	congiuntivo imperfetto	passato remoto	
vengo	venivo	verrò	verrei	venga	venissi	venni	pa
vieni	venivi	verrai	verresti	venga	venissi	venisti	s
viene	veniva	verrà	verrebbe	venga	venisse	venne	
veniamo	venivamo	verremo	verremmo	veniamo	venissimo	venimmo	
venite	venivate	verrete	verreste	veniate	veniste	veniste	
vengono	venivano	verranno	verrebbero	vengano	venissero	vennero	